TUDO BEM NÃO ESTAR TUDO BEM

TUDO BEM NÃO ESTAR TUDO BEM

Vivendo o luto e a perda em um mundo que não aceita o sofrimento

MEGAN DEVINE

Título original: *It's Ok that You're Not Ok*

Esta edição foi publicada mediante licença exclusiva da Sounds True, Inc.

tradução: Alves Calado
preparo de originais: Beatriz D'Oliveira
revisão: Luis Américo Costa e Midori Hatai
diagramação: Valéria Teixeira
capa: Rachael Murray
adaptação de capa: Natali Nabekura
imagem de capa: invisiblesk / Adobe Stock
impressão e acabamento: Associação Religiosa Imprensa da Fé

CIP-BRASIL. CATALOGAÇÃO NA PUBLICAÇÃO
SINDICATO NACIONAL DOS EDITORES DE LIVROS, RJ

D511t
Devine, Megan
Tudo bem não estar tudo bem / Megan Devine ; tradução Alves Calado. - 1. ed. - Rio de Janeiro : Sextante, 2021.
240 p. ; 16 x 23 cm.

Tradução de: It's ok that you're not ok
ISBN 978-65-5564-214-8

1. Luto - Aspectos psicológicos. 2. Sofrimento. 3. Perda (Psicologia). I. Calado, Alves. II. Título.

21-72540 CDD: 155.937
CDU: 159.942:393.7

Meri Gleice Rodrigues de Souza - Bibliotecária - CRB-7/6439

GMT Editores Ltda.
Rua Voluntários da Pátria, 45 – Gr. 1.404 – Botafogo
22270-000 – Rio de Janeiro – RJ
Tel.: (21) 2538-4100 – Fax: (21) 2286-9244
E-mail: atendimento@sextante.com.br
www.sextante.com.br

Para aqueles que são a fonte de
pesadelos das outras pessoas.

Exposta a todas as perdições, ela
canta junto a uma menina perdida
que é ela: seu amuleto de boa sorte.
ALEJANDRA PIZARNIK

Para criaturas pequenas
como nós, a vastidão só é
suportável através do amor.
CARL SAGAN

SUMÁRIO

PREFÁCIO

Há um paradoxo duplo em ser humano. Primeiro, ninguém pode viver sua vida por você – ninguém pode enfrentar seus problemas nem sentir seus sentimentos – *e* ninguém pode viver sozinho. Segundo, enquanto vivemos a única vida a que temos direito, estamos aqui para amar e perder. Ninguém sabe por quê. É assim. Se nos comprometermos a amar, inevitavelmente conheceremos a perda e o luto. Se tentarmos evitar a perda e o luto, jamais amaremos de verdade. No entanto, de modo imperioso e misterioso, conhecer o amor e a perda é o que nos deixa completa e profundamente vivos.

Tendo vivido intensamente o amor e a perda, Megan Devine é uma companheira forte e carinhosa. Tendo perdido um ente querido, ela sabe que a vida muda para sempre. Não há como superar isso, só é possível absorver. O amor e o luto mudam nossa visão de mundo. Nada volta a ser o mesmo e não existe uma vida normal à qual retornar. Há apenas a tarefa íntima de desenhar um mapa novo e acurado. Como diz Megan muito sabiamente: "Não estamos aqui para curar nossa dor, e sim para cuidar dela."

A verdade é que quem sofre carrega uma sabedoria de que precisamos para sobreviver. E, como vivemos em uma sociedade que tem medo de sentir, é importante nos abrirmos para a profundidade da jornada humana, que só pode ser conhecida por meio de nossos sentimentos.

Em última instância, o verdadeiro laço de amor e amizade é atado quando conseguimos compartilhar o amor e a perda sem julgar ou pressionar uns aos outros, sem nos deixarmos afundar e sem nos pouparmos do batismo da alma que nos aguarda nas profundezas. Como Megan declara: "A verdadeira segurança está em conhecer a dor do outro e nos reconhecermos nela."

Nosso trabalho, sozinhos e juntos, não é minimizar a dor ou a perda que sentimos, e sim investigar o que esses incidentes transformadores causam em nós. Aprendi, com minha dor e meu luto, que estar arrasado não é motivo para considerar que tudo está acabado. E, assim, o dom e a prática de ser humano se concentram no esforço de restaurar o que importa e fazer bom uso do nosso coração.

Como João da Cruz, que enfrentou a noite escura da alma, e como Jacó, que lutou contra o anjo no vau, Megan perdeu seu companheiro Matt e lutou para atravessar um vale longo e escuro. E a verdade que encontrou não é que tudo ficará bem, será curado ou esquecido. E sim que as coisas vão evoluir e a realidade se enraizará, que aqueles que sofrem uma grande perda tornarão a ser inextricavelmente entrelaçados com a vida, ainda que tudo mude.

Na *Divina comédia* de Dante, Virgílio é quem o guia através do inferno a caminho do purgatório até o momento em que Dante encontra uma muralha de chamas diante da qual hesita, com medo. Virgílio diz: "Você não tem escolha. Este é o fogo que queimará, mas não consumirá." Dante continua com medo. Virgílio põe a mão no ombro dele e repete: "Você não tem escolha." Então Dante reúne coragem e entra.

Todo mundo um dia se depara com essa muralha de fogo. Como Virgílio, Megan nos conduz por essa jornada sombria até a muralha de fogo que cada um de nós precisa atravessar sozinho, para além da qual guiamos nossos passos. Como Virgílio, Megan aponta um caminho – não *o* caminho, mas *um* caminho –, oferecendo a quem está na furiosa turbulência do luto alguns pontos de apoio. É preciso coragem para amar, perder e permanecer ao lado de alguém sem se importar com o tamanho da estrada. E Megan é uma professora corajosa. Se você está preso nas garras do luto, leia este livro. Ele ajudará você a suportar o necessário e tornará a jornada menos solitária.

MARK NEPO

INTRODUÇÃO

O modo como lidamos com o luto na nossa cultura é defeituoso. Eu achava que sabia muita coisa sobre o assunto. Afinal de contas, fazia quase uma década que atuava como psicoterapeuta em um consultório particular. Lidei com centenas de pessoas, algumas lutando contra vícios em drogas e falta de moradia, outras enfrentando anos de abuso, traumas e luto. Trabalhei com educação e advocacia relacionadas à violência sexual, ajudando pessoas a superar algumas das experiências mais horríveis de suas vidas. Pesquisei os mais recentes estudos sobre educação emocional e resiliência. Eu me envolvia profundamente e sentia que fazia um trabalho importante e valioso.

E então, em um belo e comum dia de verão em 2009, vi meu companheiro se afogar. Matt era forte, saudável e estava em plena forma. Faltavam apenas três meses para seu aniversário de 40 anos. Com sua capacidade e experiência, não havia motivo para ele se afogar. Foi um incidente aleatório e inesperado que arrasou meu mundo.

Depois da morte de Matt, quis telefonar para cada um dos meus pacientes e pedir desculpas por minha ignorância. Apesar de eu ter um profundo conhecimento sobre as emoções, a morte de Matt me revelou uma faceta totalmente diferente. Nada do que eu conhecia se aplicava a uma perda daquela magnitude. Com toda a minha experiência e formação, eu deveria ser a pessoa mais preparada para enfrentar aquele tipo de perda. Mas nada podia ter me preparado para aquilo. Nada do que eu tinha aprendido fez diferença.

E isso não acontecia só comigo.

Nos primeiros anos depois da morte de Matt, descobri uma comunidade de pessoas em luto. Escritores, ativistas, professores, assistentes sociais e cientistas de profissão – um seleto grupo de jovens viúvos e viúvas e de pais sofrendo a perda de filhos pequenos se uniu pela experiência da dor. Mas não era somente isso que compartilhávamos. Todos nós já tínhamos nos sentido julgados, constrangidos e repreendidos por nosso luto. Contávamos histórias de ocasiões em que fomos encorajados a "superar", a deixar o passado para trás e a parar de falar sobre o que tínhamos perdido. Éramos incentivados a seguir em frente e ouvíamos que aquelas mortes tinham sido uma lição para aprendermos a valorizar a vida. Até os que tentavam ajudar acabavam nos magoando. Palavras banais e conselhos, mesmo quando oferecidos com boa intenção, soavam desdenhosos, reduzindo uma dor tão grande a frases feitas sem significado real.

Na época em que mais precisávamos de amor e apoio, nos sentíamos sozinhos, incompreendidos, julgados e ignorados. Não que as pessoas ao redor quisessem ser cruéis; apenas não sabiam como ser prestativas. Como muitos dos que sofrem, paramos de falar sobre nossa dor para amigos e parentes. Era mais fácil fingir que estava tudo bem do que defender e explicar continuamente nosso luto aos que não conseguiam entender. Por isso, procurávamos outros enlutados porque eram os únicos que compreendiam como era vivenciar aquele sofrimento.

Todo mundo passa por luto e perda. Todos nos sentimos incompreendidos em ocasiões de profunda dor. Também já ficamos impotentes diante da dor de outras pessoas. Todos já nos atrapalhamos com as palavras, sabendo que nenhuma poderia consertar as coisas. A perda é um jogo em que não há vencedores: os enlutados se sentem incompreendidos e os amigos e familiares se sentem impotentes e idiotas diante do luto. Sabemos que precisamos de ajuda, mas não sabemos o que pedir. Tentando ajudar, pioramos a situação das pessoas que estão passando pelo pior momento de suas vidas. As melhores intenções saem pela culatra.

A culpa não é nossa. Todos queremos receber amor e apoio em tempos de luto, e todos queremos ajudar as pessoas que amamos. O problema é que nos ensinaram o modo errado de fazer isso.

Nossa cultura enxerga o luto como uma espécie de doença: uma emoção aterrorizante, confusa, que precisa ser posta em ordem e deixada de lado o mais rápido possível. Como resultado, temos crenças antiquadas sobre quanto tempo o luto deve durar e como ele deve ser. Nós o enxergamos como uma coisa a ser superada, algo a ser consertado, e não como algo que necessita de cuidado e apoio. Até mesmo os terapeutas são treinados para entender o luto como um transtorno, e não como uma reação natural a uma grande perda. Quando nem os profissionais sabem como lidar com o luto, como podemos esperar que o resto de nós aja com habilidade e elegância?

Existe uma lacuna, um abismo, entre o que mais desejamos e o ponto em que estamos agora. As ferramentas que temos para enfrentar o luto não servem de ponte para atravessar essa lacuna. Nossas noções culturais e profissionais sobre o assunto nos impedem de cuidar de nós mesmos durante o luto e de apoiar as pessoas que amamos quando elas passam pela experiência. Pior ainda, essas ideias ultrapassadas acrescentam um sofrimento desnecessário à dor natural, normal.

Mas existe outro caminho.

Desde a morte de Matt, trabalhei com milhares de pessoas enlutadas através do meu site *Refuge in Grief* (Refúgio no luto). Passei os últimos anos adquirindo conhecimento sobre o que realmente ajuda durante essa longa e dura jornada. No caminho, me estabeleci como uma voz pioneira e reconhecida não apenas no tema do apoio no luto, mas também em um modo mais compassivo de compreendermos uns aos outros.

Minhas teorias sobre o luto, a vulnerabilidade e a educação emocional vieram das minhas experiências e das histórias e experiências dos milhares de pessoas que tentaram ao máximo trilhar seu caminho através da perda. A partir dos enlutados e de amigos e familiares com dificuldade de ajudá-los, identifiquei o verdadeiro problema: nossa cultura não nos ensinou as habilidades necessárias para lidar com o luto de maneira realmente útil.

Se quisermos cuidar melhor uns dos outros, precisamos reumanizar o luto. Precisamos falar sobre o assunto. Precisamos entendê-lo como um processo natural, normal, e não como algo a ser evitado, consertado, apressado ou depreciado. Precisamos começar a falar sobre como enfrentar a realidade de levar uma vida que foi totalmente modificada pela perda.

Tudo bem não estar tudo bem oferece um novo modo de encarar o luto – um modo diferente apresentado não por um professor trancado em uma sala *estudando* o luto, e sim por alguém que o vivenciou. Já senti essa dor. Fui a pessoa que soluça deitada no chão, incapaz de comer ou dormir, incapaz de suportar sair de casa por mais que alguns minutos. Estive na cadeira e depois no outro lado do divã do terapeuta, ouvindo conselhos ultrapassados e totalmente irrelevantes sobre os estágios do luto e o poder do pensamento positivo. Batalhei contra os aspectos físicos do luto (perda de memória, mudanças cognitivas, ansiedade) e encontrei ferramentas que ajudam de verdade. Com meus conhecimentos clínicos e minha vivência, aprendi a diferença entre *solucionar* a dor e *cuidar* dela. Aprendi, por experiência, por que tentar convencer alguém a abandonar o luto magoa e não ajuda nem um pouco.

Este livro fornece um caminho para repensar nossa relação com o luto. Encoraja os leitores a enxergar a dor como uma reação natural à morte e à perda, e não como uma condição anormal que precisa ser transformada. Ao mudar o foco do luto como problema a ser solucionado para uma experiência a ser cuidada, podemos oferecer o que mais queremos para nós mesmos: compreensão, compaixão, validação e um caminho para atravessar a dor.

Tudo bem não estar tudo bem mostra como vivenciar o luto com habilidade e compaixão, mas não se dedica apenas às pessoas que sofrem: este livro é sobre melhorar as coisas para todo mundo. Todos vamos passar por um luto ou uma perda profunda em algum momento da vida. Todos vamos conhecer alguém passando por uma grande perda. A perda é uma experiência universal.

Então apresento aqui uma perspectiva diferente, uma perspectiva que nos inspira a reexaminar nossa relação com o amor, a perda, o pesar e a comunidade. Se começarmos a entender a verdadeira natureza do luto, poderemos ter uma cultura mais prestativa, amorosa e apoiadora. Poderemos conseguir o que *todos* mais desejamos: ajudar uns aos outros nos momentos de necessidade, nos sentir amados e apoiados, independentemente das tragédias que surjam na vida.

O que todos compartilhamos – o verdadeiro motivo para este livro – é o desejo de amar melhor. Amar a nós mesmos em meio a uma profunda dor e amar uns aos outros quando a dor de viver ficar grande demais para suportar sozinho. Este livro oferece os conhecimentos necessários para tornar realidade esse tipo de amor.

Obrigada por estar aqui. Obrigada por estar disposto a ler, ouvir, aprender. Juntos podemos melhorar as coisas, mesmo quando não é possível consertá-las.

PRIMEIRA PARTE

É TÃO RUIM QUANTO VOCÊ PENSA

1

A REALIDADE DA PERDA

O que mais quero que você entenda é o seguinte: a situação é mesmo tão ruim quanto você pensa.

Não importa o que os outros digam, é um horror. O que aconteceu não pode ser consertado. O que foi perdido não pode ser recuperado. Não existe nenhuma beleza nisso.

Você está sofrendo. E isso não pode ser curado.

A realidade do luto é muito diferente do que os outros veem de fora. Algumas dores não podem ser remediadas com torcida e positividade.

Você não precisa de soluções. Não precisa superar o luto. Precisa, sim, que alguém o enxergue e o reconheça. Precisa de alguém para segurar sua mão enquanto você está paralisado, olhando para o buraco onde antes estava sua vida.

Certas coisas não podem ser consertadas. Só podem ser suportadas.

A REALIDADE DO LUTO

Quando acontece uma morte inesperada ou um evento transformador, tudo muda. Mesmo quando é esperada, a morte ou a perda parecem uma surpresa. Agora tudo é diferente. A vida que você esperava viver desaparece, vaporizada. O mundo se parte e nada mais parece fazer sentido. Sua vida era normal. De repente, não é nem um pouco normal. Pessoas que você considerava inteligentes começam a falar frases feitas e banalidades tentando animar você. Tentando amenizar sua dor.

▪ ▪ ▪

Não é como você achava que seria.

O tempo parou. Nada parece real. Sua mente não consegue deixar de repassar os acontecimentos, esperando um resultado diferente. O mundo comum, cotidiano, que os outros ainda habitam, soa abrasivo e cruel. Você não consegue comer (ou come sem parar). Não consegue dormir (ou dorme o tempo todo). Cada objeto se torna um símbolo de como a vida era e deixou de ser. Não existe nada que essa perda não alcance.

Nos dias e semanas desde a perda, você ouviu todo tipo de coisa sobre o luto: a pessoa que se foi não iria querer que você ficasse triste; tudo acontece por um motivo; pelo menos vocês viveram esse tempo juntos; você é forte, inteligente e capaz, vai conseguir superar; essa experiência vai fortalecê-lo; você vai ter outras chances, arranjar outro companheiro, ter outro filho, encontrar um modo de canalizar a dor para alguma coisa linda, útil e boa.

As banalidades e as tentativas de alegrar não adiantam nada. Na verdade, esse tipo de conselho só faz você perceber que ninguém entende seu sofrimento. Não é um corte no dedo. Não é uma crise de insegurança. Você não precisa passar por isso para aprender o que realmente importa, para encontrar sua vocação ou para descobrir que você é mesmo amado por quem está à sua volta.

Dizer a verdade sobre o luto é o único modo de seguir em frente: sua perda de fato é tão terrível quanto você pensa. Você não enlouqueceu. Aconteceu uma coisa ruim e você está reagindo como qualquer pessoa sã.

QUAL É O PROBLEMA?

A maior parte do que hoje é considerado auxílio ao luto é praticamente inútil. Como evitamos tocar no assunto, a maioria das pessoas – e muitos profissionais – vê o luto e a perda como aberrações, desvios da uma vida normal e feliz.

Acreditamos que o objetivo do auxílio ao luto, tanto pessoal quanto profissional, é sair dele, parar de sofrer. Achamos que luto deve ser uma coisa a ser superada o mais rápido possível. Uma experiência lamentável, porém transitória, que é melhor ser logo resolvida e deixada para trás.

É essa crença errada que faz tantas pessoas se sentirem sozinhas e abandonadas, além de enlutadas. O luto acarreta penalização e julgamento; muita gente acha que é mais fácil não conversar sobre o que dói. E, como não falamos sobre a realidade da perda, acabamos sentindo que o que estamos vivenciando é estranho, esquisito ou errado.

Não há nada de errado com o luto. É uma extensão natural do amor. É uma reação saudável e razoável à perda. O fato de ser doloroso não o torna ruim; sentir que enlouqueceu não significa que você tenha mesmo enlouquecido.

O luto faz parte do amor. Amor pela vida, amor por nós mesmos, amor pelos outros. O que você está vivendo, por mais doloroso que seja, é amor. E o amor é muito difícil. Às vezes é excruciante.

Para vivenciar a experiência do luto como parte do amor, precisamos começar a falar dela em termos reais, não como patologia nem com falsas esperanças de que tudo vai ficar bem no final.

O LUTO PARA ALÉM DO "NORMAL"

A vida cotidiana contém inúmeras perdas. Há um trabalho imenso na nossa cultura para dar voz a todo mundo, para validar e respeitar todas as dores que carregamos no coração, todas as perdas que enfrentamos. Mas este livro não é sobre isso.

Nesta vida há feridas que doem, que doem imensamente, e que podem ser superadas com o tempo. Com um intenso esforço pessoal, muitas dificuldades podem ser transformadas. De fato existe ouro a ser encontrado ao fim de todo o trabalho duro da vida, como dizem os junguianos. Só que a morte não é uma dessas situações. Não é um dia difícil no escritório. Não é fracassar em algo que você desejava muito.

Não é perder algo precioso só para dar lugar a algo ainda mais "perfeito". Aqui o esforço de transformação não se aplica.

Existem perdas que reorganizam o mundo. Mortes que alteram o modo como enxergamos tudo, que arrasam todas as coisas. Dores que nos transportam para um universo totalmente diferente, mesmo que os outros achem que nada mudou de verdade.

Quando falo de perda, quando falo de luto, estou falando de coisas que vão além do que consideramos a ordem natural da vida. Estou falando de acidentes e doenças, desastres naturais, tragédias causadas pelo homem, crimes violentos e suicídios. Estou falando de perdas aleatórias, atípicas, incomuns, que parecem cada vez mais comuns à medida que faço este trabalho. Estou falando da dor sobre a qual ninguém quer falar – mais ainda, sobre a qual ninguém quer ouvir. O bebê que morreu dias depois do nascimento sem motivo conhecido. O jovem atlético que mergulhou em um lago e saiu paralítico. A esposa que viu o marido ser morto a tiros em um roubo de carro. O companheiro levado por uma onda traiçoeira. A mulher vibrante e saudável cujo câncer terminal foi descoberto em um exame de rotina e que deixou o marido, o filho pequeno e incontáveis amigos poucos meses depois de ser diagnosticada. O garoto de 20 anos atropelado por um ônibus enquanto trabalhava em uma missão humanitária na América do Sul. A família de férias na Indonésia quando houve o tsunami. A criança levada por uma mutação nos ossos. O irmão que estava bem de saúde no café da manhã e na hora do almoço estava morto. O amigo cujo sofrimento você desconhecia até ele tirar a própria vida.

Talvez você tenha chegado até aqui porque alguém morreu. *Eu* estou aqui porque alguém morreu. Talvez você esteja aqui porque a vida mudou irrevogavelmente – por causa de um acidente ou uma doença, um crime violento ou um desastre natural.

A vida pode ser muito aleatória e frágil.

Não costumamos conversar sobre a fragilidade da vida, sobre como tudo pode ser normal em um momento e mudar completamente em outro. Não temos palavras nem linguagem nem capacidade para enfrentar isso, juntos ou sozinhos. Como não tocamos no assunto quando mais precisamos de amor e apoio, não encontramos nada. E o que nos é oferecido fica muito aquém do que precisamos.

A realidade do luto é diferente do que os outros enxergam ou supõem vendo de fora. Senso comum e tapinhas nas costas não funcionam. Não existe um motivo para tudo. Nem toda perda pode ser transformada em algo útil. Algumas coisas não têm lado positivo.

Precisamos começar a dizer a verdade sobre esse tipo de dor. Sobre o luto, o amor, a perda.

Porque a verdade é que, de um jeito ou de outro, amar significa perder. É difícil viver em um mundo tão fugaz e tênue. Nosso coração se parte de maneiras irreversíveis. Algumas dores se tornam parte irremovível da nossa vida. Precisamos aprender a suportar isso, a cuidar de nós mesmos, a cuidar uns dos outros. Precisamos saber como viver aqui, onde a vida que conhecemos pode mudar para sempre a qualquer momento.

Precisamos começar a falar sobre essa realidade da vida, que também é a realidade do amor.

SOBREVIVÊNCIA

Se você se encontra neste ponto, nesta vida que não pediu, nesta vida que não imaginava, sinto muito. Não posso afirmar que no fim tudo vai dar certo. Não posso garantir que as coisas vão ficar bem.

Você não está "bem". Talvez nunca mais fique "bem".

Independentemente de qual seja o seu tipo de luto, é importante reconhecer como dói, como é difícil. É horrível, aterrorizante e insustentável.

O objetivo deste livro não é curar você ou o seu luto. Não é ajudar você a "melhorar" ou a levá-lo de volta ao "normal". Este livro trata de como conviver com a sua perda. Como suportar o que não pode ser consertado. Como sobreviver.

E ainda que esse pensamento – de que é *possível* sobreviver a uma coisa tão terrível – seja inquietante e aterrorizante, a verdade é que é bem provável que você vá sobreviver.

Sua sobrevivência nessa vida pós-perda não vai seguir passos ou estágios nem vai se alinhar à visão de qualquer outra pessoa sobre como seus dias devem ser. A sobrevivência não será alcançada, *não pode ser alcançada*, com pensamento positivo ou tentativas de deixar para trás a vida perdida.

Para sobreviver, para alcançar uma existência que lhe pareça autêntica e verdadeira, é preciso começar aceitando que essa dor é mesmo terrível e que está tudo bem se você não está bem depois de perder alguém que ama. Quando partimos desse ponto, podemos começar a falar sobre viver com o luto e com o amor que permanece.

COMO USAR ESTE LIVRO

Tudo bem não estar tudo bem é dividido em quatro partes: "É tão ruim quanto você pensa", "O que fazer com seu luto", "Quando amigos e familiares não sabem o que fazer" e "O caminho à frente". Ao longo do livro você encontrará textos escritos por alunos do meu curso *Writing Your Grief* (Escrevendo seu luto). As palavras deles, às vezes mais do que as minhas, ilustram os aspectos desafiadores e multifacetados do luto vivido com honestidade e franqueza.

Apesar de o livro progredir de modo um tanto linear, você pode saltar por ele como quiser. Assim como com o luto, não existe modo certo de explorá-lo. Especialmente no início do processo, quando só conseguimos absorver certa quantidade de informações. Mesmo que você tivesse grande capacidade de concentração antes da perda, o luto consegue reduzi-la consideravelmente. Absorva os acontecimentos em porções administráveis. (Mais adiante vou explicar como o luto afeta o seu cérebro e o seu corpo.)

A primeira parte é sobre a cultura do luto e sobre como isso atinge você. Ela mergulha nas raízes históricas do analfabetismo emocional, da nossa aversão profunda a encarar a realidade da dor. É a visão ampla do luto, uma análise do sofrimento – e do amor – quando visto através de lentes de longuíssimo alcance.

Se o seu mundo acabou de implodir, por que você deveria se preocupar com uma visão mais ampla? Por que deveria perder tempo refletindo sobre como este mundo é emocionalmente analfabeto?

Bom, é verdade: no início, compreender o luto de um ponto de vista cultural não importa muito. O que importa é saber que você não é a única pessoa sentindo que o mundo, como um todo, o decepcionou. Conversar sobre como nossa cultura lida com o luto pode ajudar você a se sentir menos só. Pode validar a dissonância entre a sua realidade e a realidade que os outros impõem a você.

Essa diferença entre aquilo em que o mundo exterior acredita e a verdade interior que você conhece pode ser um dos aspectos mais difíceis do luto.

Eu me lembro dos primeiros dias depois que meu companheiro se afogou, de como me forcei a enfrentar o mundo – cabelos desgrenhados, bochechas fundas, roupas descombinadas, parecendo uma sem-teto, falando sozinha. Tentando seguir em frente. Agindo de forma sensata, de acordo com o esperado: fazer compras, passear com o cachorro, almoçar com amigos. Assentindo para pessoas que diziam que tudo ia ficar bem. Segurando a língua, sendo educada quando um terapeuta atrás de outro dizia que eu precisava avançar mais rapidamente pelos estágios do luto.

O tempo todo, ao meu redor, dentro de mim, havia aquela dor uivando, berrando, urrando, olhando para mim mesma enquanto eu tentava ser normal e sensata. Educada. Como se tudo estivesse bem. Como se o que eu estava vivendo não fosse tão ruim. Como se todo aquele horror pudesse ser administrado com comportamentos aceitáveis.

Eu conseguia enxergar as falhas em tudo aquilo; sabia que toda aquela gente me falando sobre os estágios do luto, sobre abrir caminho através da dor, todos os livros que indicavam métodos de me livrar do sofrimento e modos de superá-lo... eu sabia que era tudo besteira.

Eu teria dado qualquer coisa para ter minha realidade reconhecida. O auxílio ao luto é de certa forma como a nova roupa do imperador: ninguém tem coragem de dizer a verdade. Os enlutados sabem que esse auxílio não serve para nada, ao passo que as pessoas bem-intencionadas continuam despejando encorajamentos vazios, sabendo, lá no fundo, que essas palavras não ajudam. Todos sabemos disso, mas ninguém fala a respeito.

É irrelevante falar sobre o luto como se fosse um exercício intelectual, algo que pode ser resolvido racionalmente. A inteligência que organiza palavras e determina estágios ou passos de comportamento sensato está em um plano diferente daquele do coração que acabou de ser dilacerado.

O luto é visceral, não é sensato: o desespero na essência do luto é cru e verdadeiro. É amor em sua forma mais selvagem. Na primeira parte do livro exploro nossa relutância cultural e histórica em vivenciar esse sentimento selvagem. Ainda que isso não amenize sua perda, ouvir sua experiência pessoal em um contexto cultural mais amplo e cheio de defeitos pode ajudar a reorganizar as coisas de algum modo.

A segunda parte do livro é sobre o que você pode fazer durante o luto – não para "ficar melhor", mas para suportar a vida que você precisa viver. Só porque não é possível curar o luto não significa que não há nada a fazer a respeito dele. Quando mudamos o foco e apenas cuidamos da dor em vez de tentar curá-la, todo um mundo de apoio se abre. Validação e conversas francas sobre a realidade do luto são capazes de transformar as coisas.

Essa parte explora também alguns aspectos mais comuns e menos discutidos do luto, inclusive as mudanças físicas e mentais que acompanham uma grande perda. Existem exercícios para ajudar você a administrar o estresse desnecessário ou inevitável, a melhorar o sono, a reduzir a ansiedade, a lidar com imagens intrusivas ou repetitivas relacionadas à sua perda e a encontrar pequenos pontos de calma que tornam as coisas mais fáceis de suportar.

Na terceira parte exploramos o apoio frequentemente frustrante e às vezes espantoso de amigos, familiares e conhecidos. Como é possível que pessoas tão inteligentes e perspicazes em outros aspectos não tenham a menor ideia de como consolá-lo de verdade? Embora não possamos culpar aqueles com "boas intenções", não é suficiente dizer que eles querem o seu bem. Como você pode ajudar as pessoas que querem ajudar você? Espero que você consiga usar essa parte deste livro exatamente para isso. Entregue o livro àqueles que querem ser úteis e deixe que ele oriente o caminho. Existem listas de lembretes, sugestões e depoimentos para ajudar sua rede de apoio a desenvolver mais habilidade para abordar sua dor.

E, igualmente importante, a terceira parte também ajuda você a descobrir quem não consegue mesmo oferecer apoio e mostra como afastar essas pessoas da sua vida com *alguma* destreza e elegância.

A última parte examina maneiras de seguirmos em frente depois de uma perda devastadora. Uma vez que sua perda não é curável, como seria "viver uma vida boa"? Como é possível viver em um mundo transformado? É um processo complexo e complicado manter sua capacidade de amar, avançar em vez de "superar". Você descobrirá maneiras de encontrar apoio e companheirismo verdadeiros, e verá como o sofrimento e o amor passam a fazer parte da sua vida.

E esta é a verdade em relação ao luto: a perda deve ser integrada, e não superada. Não importa o tempo que demore, seu coração e sua mente vão esculpir uma vida nova nessa realidade estranhamente devastada. Pouco a pouco, a dor e o amor encontrarão meios de coexistir. Não vai parecer errado ou ruim ter sobrevivido. Será apenas a vida que você construiu: a mais linda possível com o que você tem para viver. Que este livro possa ajudá-lo a encontrar a trilha de amor que ainda existe e a segui-la até uma vida que você não pediu, mas que existe mesmo assim.

Lamento que você precise deste livro, mas fico feliz que esteja aqui.

2

A OUTRA PARTE DA FRASE

Por que é tão ruim ouvir palavras de conforto

É incrivelmente difícil ver alguém que a gente ama sofrendo. As pessoas que o amam dizem que você é forte o suficiente para superar. Que um dia você vai se sentir melhor. Que não vai ser tão ruim para sempre. Elas encorajam você a olhar para um futuro mais luminoso, para um tempo em que a dor terá amenizado.

Os outros oferecem sugestões de como superar mais rapidamente o luto. Dizem o que fariam se estivessem no seu lugar. Falam sobre as próprias perdas, como se o luto fosse igual para todos, como se conhecer o sofrimento de outra pessoa fizesse alguma diferença.

Desde amigos íntimos até conhecidos distantes, todo mundo tem uma opinião sobre seu luto; todo mundo quer lhe sugerir algum modo de melhorá-lo.

Claro que as pessoas querem que você se sinta melhor – isso faz parte de ser humano: queremos evitar a dor. Queremos ajudar. Queremos *ser* ajudados. Queremos receber uns dos outros o que deveríamos ser capazes de oferecer. Porém, em vez de acolhidos e reconfortados, muitos enlutados se sentem constrangidos, isolados e desconsiderados. E as pessoas que tentam ajudar, em vez de eficientes e úteis, se sentem indesejadas, frustradas e ignoradas.

Ninguém consegue o que deseja.

A maior parte desta seção do livro se concentra em nossos equivocados modelos culturais sobre o luto e a dor, mas este capítulo permanece íntimo: é importante perceber como as reações dos outros à sua perda fazem *você* se sentir errado. Imaginar se eles são insensíveis ou se você está sendo "sensível demais" aumenta o nível de estresse. A validação e o reconhecimento são importantes, e o modo como estão tentando reconfortar você realmente não é reconfortante.

O QUE ELES DIZEM PARECE CERTO, ENTÃO POR QUE ME IRRITA TANTO?

O pai de uma amiga querida morreu enquanto eu estava escrevendo este livro. Ela me mandou uma mensagem cerca de uma semana depois do falecimento: "As pessoas estão me mandando cartões de pêsames muito carinhosos. Por que isso me deixa com tanta raiva? Eu odeio essas pessoas e odeio seus cartões idiotas. Até as palavras mais gentis parecem cruéis."

O luto intenso é uma impossibilidade: não há como "melhorar". Palavras com intenção de conforto apenas ferem mais. A "ajuda" dos outros parece intromissão. As tentativas de aproximação ou simpatia parecem sem noção e grosseiras. Todo mundo tem uma opinião sobre como você deveria estar sofrendo e como poderia facilitar as coisas para si mesmo. Conselhos sobre "sair dessa experiência ainda mais forte" e sobre "lembrar os bons tempos" são como um tapa na cara.

Por que palavras de conforto parecem tão terrivelmente erradas?

Antes da morte de Matt, eu estava lendo *There Is a Spiritual Solution to Every Problem* (Existe uma solução espiritual para todo problema), do Dr. Wayne Dyer. É um ótimo livro. Mas, quando tentei pegá-lo depois que ele morreu, não consegui voltar a ler. Parecia errado, como se as ideias fossem ásperas e me arranhassem. Tentei encontrar consolo nas palavras que antes achava reconfortantes e úteis, e elas simplesmente não faziam efeito.

Larguei o livro. Peguei-o de volta. A aspereza permanecia e nada se encaixava, e larguei o livro outra vez.

Somente várias semanas depois bati o olho por acaso no título do volume abandonado na mesinha de centro: existe uma solução espiritual para todo problema.

Todo problema.

De repente, fez sentido. Pode até haver mesmo uma solução espiritual para os problemas, mas o luto não é um problema que precisa de solução. Não é "errado" e não pode ser "consertado". Não é uma doença a ser tratada.

Presumimos que, se uma coisa é incômoda, significa que algo está errado. Concluímos que o luto é "ruim" porque dói. Ouvimos falar sobre como amenizar a dor, superar a dor, sonhar com um tempo em que não exista dor. Agimos como se o luto devesse ser resolvido quanto antes, como uma doença que precisa de cura, e não uma reação natural à perda.

A maioria das pessoas aborda o luto como um problema. Os amigos e a família veem você sofrendo e querem aliviar esse sofrimento, mesmo que a intenção não seja expressa abertamente. E é por isso que palavras de conforto geralmente não parecem reconfortantes. Ao tentar *resolver* seu luto, eles não lhe dão o apoio de que você necessita.

Como eu disse à minha amiga, os cartões carinhosos de pêsames soavam ofensivos porque, em sua raiz, estavam tentando curar a dor dela. Passavam por cima da verdadeira realidade da situação: isso dói. Ainda que não tenham essa intenção, as pessoas pioram o luto ao tentarem disfarçá-lo, lustrá-lo ou dispensá-lo. Seja pessoalmente ou por meio de cartões lindos/medonhos, as palavras de conforto podem fazer mais mal do que bem.

EI, EU TAMBÉM!

Quando ouvem falar da nossa dor, muitas pessoas tentam demonstrar empatia contando as próprias histórias de luto. Isso vai desde comparações próximas, porém inexatas, do tipo "Meu marido também morreu", até "Meu peixinho dourado morreu quando eu tinha 8 anos, então sei como você se sente".

Compartilhamos histórias de perda para mostrar que entendemos sua situação: "Ei, olhe. Eu já passei por isso. Entendo como você se sente."

Compartilhar histórias é uma tentativa de tornar o luto menos solitário, mas não dá resultado. Comparar um luto a outro é um equívoco. Uma experiência não se traduz em outra. O luto é tão individual quanto o amor. O fato de alguém ter passado por uma perda – mesmo uma perda semelhante à sua – não significa que entenda você.

Quando alguém relata a própria história de perda, tem como objetivo amenizar sua dor. É verdade. Mas não é só isso. Todo mundo suporta algum luto – desde as perdas cotidianas até as maiores, mais marcantes. Como não costumamos tocar no assunto, temos reservatórios pessoais e globais de dores guardadas e silenciadas. Ao expor o luto, é como se um portal se abrisse, uma oportunidade de aceitação e de franqueza. Você começa a falar sobre perda e é como se de repente houvesse uma permissão, então as pessoas pensam: *Ah, graças a Deus, agora estamos falando sobre luto. Deixa eu contar as perdas que já sofri!*

Todos queremos desabafar nossa dor. Todos carregamos histórias que precisam de reconhecimento. Mas logo agora? Logo agora, quando você está sofrendo, quando sua perda é primitiva e poderosa? Não é hora de conversar sobre as perdas *dos outros*.

A comparação de lutos e o compartilhamento de histórias não trazem conforto. Claro que não. Pode parecer que sua perda foi eclipsada pela necessidade de outra pessoa contar a própria história – não importa há quanto tempo aconteceu ou como é irrelevante para você.

Ao falar sobre o próprio sofrimento, a pessoa tira o foco de ajudar você e se volta às próprias necessidades. Parece perverso, mas é apenas uma das maneiras sutis como nossa cultura defeituosa impacta o verdadeiro processo de luto.

Existem ocasiões mais adequadas para alguém compartilhar histórias de perda – por exemplo, quando seu mundo não tiver acabado de implodir. Você se sente "roubado" pelas histórias de luto dos outros porque uma coisa lhe foi tirada: a importância central da *sua* situação atual.

A COMPETIÇÃO DE LUTOS

Compartilhar o luto como um modo de se conectar com o enlutado quase sempre se transforma em uma competição: uma Olimpíada do luto. Qual dor é pior? Qual dor é mais significativa?

Se você já disse a uma pessoa que a experiência de perda dela não é igual à sua, aposto que ouviu uma reação defensiva. Ela fica magoada. Ofendida. Se você reage à história compartilhada dizendo "Não é a mesma coisa", o que a pessoa escuta é: "Seu luto não é tão real quanto o meu." Ela entende que não sofreu o bastante. Recebe essa diferenciação como um insulto, uma desconsideração pela dor dela.

O que começou como uma tentativa de se conectar se transforma em uma discussão sobre qual luto dói mais.

Precisamos falar sobre a hierarquia da perda. Ouvimos o tempo todo que nenhuma perda é pior do que outra. Eu não creio nisso. Acho que *existe, sim,* uma hierarquia. O divórcio não é a mesma coisa que a morte do companheiro. A morte de um avô não é igual à morte de um filho. Perder o emprego não é como perder um membro.

O negócio é o seguinte: toda perda é válida. E as perdas não são iguais. Você não pode nivelar todos os lutos e dizer que é tudo igual. Não é.

É mais fácil enxergar isso quando não levamos tanto para o lado pessoal. Por exemplo, uma topada no dedão do pé dói. Muito. Por um momento, a dor pode ser dominante. Você pode até mancar durante um tempo. Ter o pé decepado por um trem também dói. Muito também, mas de um jeito diferente. A dor dura mais. O ferimento precisa de mais tempo de recuperação, que pode ser incerta e complicada. Isso impacta o modo como você vai seguir vivendo. Você não pode retornar à vida anterior, pois agora não possui um dos pés. Ninguém diria que essas duas lesões são exatamente iguais.

Uma topada no dedão dói, e isso merece reconhecimento, não deve ser desconsiderado. Um pé decepado é diferente. Precisa ser reconhecido, e não ser desconsiderado. O fato de todo luto ser válido não significa que todo luto seja igual. Sofrimentos cotidianos são ruins, mesmo que não transformem o seu mundo. As perdas aleatórias, inesperadas, transformadoras, têm um eco que reverbera de outro modo. Não são melhores nem piores, apenas diferentes.

Precisamos ter cuidado para não excluir o luto alheio. Todos merecemos ser acolhidos em nossa dor, não importando qual seja. Ao mesmo tempo, não podemos dar peso igual a todas as perdas. Não fazer essa distinção entre os níveis de luto não fornece apoio à pessoa enlutada.

Também é verdade que, depois de determinado ponto, as comparações se tornam inúteis. É pior perder um filho ou um companheiro? A morte súbita ou a doença prolongada? Suicídio ou assassinato? Bebês morrem. Crianças têm câncer. Amantes se afogam. Terremotos abrem o chão e milhares de pessoas desaparecem. Bombas explodem em lugares aleatórios. O universo aparentemente em ordem se rasga em um abismo gigantesco e de repente nenhuma realidade faz sentido. Fazer distinção entre perdas como essas não importa e não ajuda.

O que precisamos nos lembrar, como uma prática para a vida, é de respeitar todos os lutos. Respeitar todas as perdas, as pequenas e as nem tão pequenas assim. As que mudam a vida e as que mudam o momento. E não devemos compará-las. O fato de que todo mundo vivencia a dor não serve como remédio para nada nem para ninguém.

Defender a peculiaridade da sua perda em detrimento das comparações não vai ajudar você a se sentir melhor. Apontar as diferentes ordens de magnitude da perda não vai ajudar você a se sentir melhor.

Quando alguém tentar amenizar sua dor contando a própria história, entenda que a pessoa está tentando se conectar e se aproximar. Mas, como já falei, ela não está conseguindo, pois sua tática tira o foco de você. Sua situação é esquecida, e isso é exatamente o oposto do que a pessoa pretendia fazer.

E assim se estabelece a dicotomia do "Meu luto é pior do que o seu" que faz todo mundo se sentir ignorado e desconsiderado.

A comparação simplesmente não funciona.

A OUTRA PARTE DA FRASE

Mesmo sem comparações, palavras de consolo ainda podem soar muito mal.

Todos já estivemos dos dois lados da equação do "consolo": falando coisas destinadas a amenizar a dor de alguém, sentindo-nos impotentes, desajeitados e ridículos; e ouvindo as palavras de outra pessoa, sentindo-nos ignorados ou tratados com condescendência em vez de consolados. Por que nossas boas intenções saem tão atrapalhadas? Por que, mesmo sabendo que as pessoas não falam por mal, suas palavras incomodam tanto?

Deixando de lado (por enquanto) algumas das coisas mais absurdas e ridiculamente dolorosas que certas pessoas dizem, aqui vai uma pequena lista de frases que os enlutados já ouviram:

Pelo menos vocês tiveram algum tempo juntos.
Você ainda pode ter outro filho/arrumar outro companheiro.
Eles estão em um lugar melhor.
Isso ensina a valorizar as coisas importantes da vida.
Essa experiência vai tornar você mais forte.
Logo, logo você vai se sentir melhor.
Você é mais forte do que imagina.
Deus escreve certo por linhas tortas.
Tudo acontece por um motivo.

Dizer "Ele não ia querer que você ficasse triste" ou "Pelo menos vocês tiveram algum tempo juntos" pode parecer um consolo. O problema é que há uma parte implícita em todas essas frases tão conhecidas. Sem querer, a outra parte da frase desconsidera ou deprecia a sua dor; ignora a situação atual em favor de uma experiência alternativa. A frase fantasma diz que não está certo se sentir como você se sente.

A OUTRA PARTE DA FRASE

Para cada uma dessas declarações de consolo, acrescente: "então pare de se sentir tão mal".

Pelo menos vocês tiveram algum tempo juntos (então pare de se sentir tão mal).

Ele morreu fazendo algo que amava (então pare de se sentir tão mal).

Você ainda pode ter outro filho (então pare de se sentir tão mal).

Se você fica constrangido ou irritado quando amigos e familiares tentam confortá-lo, é porque está ouvindo a outra parte da frase, mesmo quando não é dita em voz alta. A conclusão está sempre implícita, ecoando alto no silêncio: *Pare de se sentir desse jeito.*

Os amigos e os familiares querem que você se sinta melhor. Querem amenizar sua dor. O que eles não entendem é que, ao tentar fazer isso, acabam minimizando o seu luto. Não estão enxergando a situação como ela é. Não estão enxergando você.

Palavras de conforto que tentam apagar a dor não servem de consolo. Quando você tenta amenizar a dor de alguém, está apenas dizendo a ela que não é legal ficar falando a respeito.

Para nos sentirmos realmente reconfortados, precisamos acreditar que nossa dor é ouvida. Precisamos que a realidade da nossa perda seja compreendida, não depreciada, não diluída. Parece contraintuitivo, mas o verdadeiro consolo no luto está em reconhecer a dor, não em tentar fazê-la passar.

TUDO ACONTECE POR UM MOTIVO

Os seres humanos são criaturas engraçadas. Somos rápidos em oferecer consolo, julgamento e interpretação quando se trata das perdas alheias. Quantas vezes você escutou que "tudo acontece por um motivo"? As pessoas que lhe disseram isso seriam as primeiras a refutar essa declaração se alguma coisa horrível acontecesse a elas. Falamos para os outros o que jamais aceitaríamos ouvir nós mesmos.

Conselhos como "Tudo acontece por um motivo" e "Essa experiência vai tornar você mais forte/mais gentil/mais benevolente" causam raiva em quem está sofrendo. Nada deixa uma pessoa mais irritada do que a sensação de estar sendo insultada e não compreender como.

Não é apenas a tentativa de eliminar a dor que faz as palavras de conforto soarem tão mal. Existe algo nas entrelinhas dessas declarações sobre se tornar uma pessoa melhor/ mais gentil/ mais benevolente por causa da perda ou sobre perceber o que "realmente importa na vida" agora que você descobriu a rapidez com que tudo pode mudar.

Nesse caso, a outra parte não verbalizada afirma que, de algum modo, você *precisava* disso. Que antes você não sabia o que era importante. Que você não era gentil, benevolente ou sensível o bastante, que precisava dessa experiência para amadurecer, que precisava dessa lição para descobrir seu "verdadeiro caminho".

Como se perdas e dificuldades fossem o único meio para evoluir como ser humano. Como se a dor fosse a única passagem para uma vida melhor, mais intensa, o único modo de se tornar forte, sensível e gentil.

Declarações como essa revelam que você não era bom o suficiente *antes*.

Está implícito. Quem disse isso vai negar, claro. Mas as palavras fantasmas estão ali. E elas têm impacto.

Se fosse verdade que vivenciar uma grande perda é o único modo de tornar alguém mais benevolente, somente pessoas egoístas, alienadas e superficiais experimentariam o luto. Isso faria sentido. O fato de não ser assim... bem, só prova o meu argumento. Você não precisava passar por isso para amadurecer. Não precisava das lições que supostamente apenas o luto pode ensinar. Você já era um ser humano bom e decente trilhando seu caminho pelo mundo.

Existem um milhão de modos de aprendizado. O luto e a perda são um caminho para a intimidade e a conexão, mas não o único. Em um artigo sobre transtorno pós-traumático, um terapeuta de veteranos de guerra afirma que, olhando em retrospectiva, as pessoas que enxergavam sua perda ou seu luto como uma experiência de amadurecimento eram as mais insatisfeitas ou alienadas na vida pessoal antes do evento. Elas não se sentem gratas pelo que aconteceu, mas percebem o próprio desenvolvimento à sombra de sua perda. Por outro lado, e as pessoas cuja vida era plena e profunda antes da perda? O pesquisador admite que esses participantes não experimentavam grandes ondas de crescimento porque não existiam grandes ondas para se obter. Não há conforto em "se tornar uma pessoa melhor" quando você já estava contente com quem era.

O luto não é um seleto programa de aprendizado. Ninguém precisa passar por uma perda transformadora para se tornar a pessoa que "estava destinada" a ser. O universo não é causal deste modo: você precisa se tornar alguma coisa, então a vida lhe apresenta uma experiência horrível para fazer com que isso aconteça. Pelo contrário: a vida é chamado e resposta. Coisas ocorrem e nós as absorvemos e nos adaptamos. Reagimos ao que vivenciamos, e isso não é bom nem ruim. Apenas é. O avanço é simplesmente integrar essa experiência.

Você *não precisava* disso. Não precisa usar essa experiência para crescer nem deixá-la para trás. As duas atitudes são estreitas e constrangedoras demais para ter utilidade. Experiências transformadoras não são superadas silenciosamente nem são expiação de erros do passado. Elas nos modificam. Tornam-se parte do nosso alicerce ao seguirmos com a vida. O que você constrói em cima dessa perda pode ser crescimento. Pode ser um passo na direção de mais beleza, mais amor, mais plenitude. Mas isso se deve às suas escolhas, ao seu compromisso com quem é e com quem deseja ser. Não porque o luto é uma passagem só de ida para a transformação em uma pessoa melhor.

Quando *você opta* por encontrar sentido ou crescimento em sua perda, esse é um ato de soberania pessoal e de autoconhecimento. Quando *outra pessoa atribui* crescimento ou sentido à sua perda, isso diminui seu poder, constrange ou julga de modo sutil quem você era antes, como se precisasse se tornar alguém melhor. Não é de espantar que provoque uma sensação tão ruim.

As palavras de conforto que sugerem que você precisava ter seu mundo arrasado por uma experiência tão terrível jamais podem servir de consolo. São mentiras. E mentiras nunca são agradáveis.

REAFIRMANDO A REALIDADE

Há tantos equívocos na abordagem do luto que pode ser difícil acreditar que alguma coisa ajude. Por enquanto, é importante saber que a maior parte do que é oferecido como "apoio" na verdade é programada para solucionar problemas ou fazer você parar de sofrer. Se isso lhe parece errado é porque é. Como falei, o luto não é um problema a ser resolvido; é uma experiência a ser vivida. O trabalho aqui é encontrar – e receber – apoio e conforto que ajude você a viver a sua realidade. Companheirismo, e não julgamento, é o jeito de avançar.

Os próximos capítulos exploram ainda mais as profundas raízes da incapacidade da cultura ocidental de encarar a dor. Embora estudos culturais possam não parecer relevantes no âmbito pessoal, ver a dimensão do problema pode ajudar você a se sentir menos sozinho e a encontrar seu verdadeiro caminho depois da perda.

3

NÃO É VOCÊ, SOMOS NÓS

Nossos modelos de luto são defeituosos

Se alguém que você ama acabou de morrer, de que importa o fato de nossos modelos culturais de luto serem defeituosos? Quer dizer... e daí? Seu luto é sobre você, não sobre as outras pessoas. Só que, especialmente no início, todo mundo acha que você está fazendo tudo errado. A resposta que você recebe do mundo exterior pode fazê-lo pensar que enlouqueceu. O desdém e a indelicadeza dos outros podem levar você a se sentir abandonado, justo no momento em que mais precisa saber que é amado.

Sua experiência pessoal é afetada intimamente pelo analfabetismo geral em relação ao luto. Ver esse analfabetismo explicitado pode ajudar a normalizar um período completamente anormal.

Você não enlouqueceu. A cultura é louca. Não é você; somos nós.

> Reexamine tudo que lhe foi dito na escola, na igreja ou em qualquer livro e desconsidere qualquer insulto à sua alma.
>
> WALT WHITMAN, *Folhas de Relva*

PATOLOGIA DE GOTEJAMENTO

Como sociedade, usamos enormes antolhos para nos blindarmos de enxergar o luto. Programas de formação de terapeutas dedicam pouquíssimo tempo a esse tema, ainda que a maioria dos clientes nos procure quando está em profundo sofrimento por causa dele. O que é ensinado é um sistema tremendamente ultrapassado de estágios do luto que jamais pretendeu prescrever as maneiras de vivenciar a perda. O que é ensinado aos profissionais da área médica goteja para a população em geral.

Como cultura, nossas visões sobre o luto são quase totalmente negativas. O luto é considerado uma anomalia, um desvio da vida "normal", feliz. Nossos modelos médicos o chamam de transtorno. Acreditamos que o luto é uma reação de curto prazo diante de uma situação difícil e, como tal, deve ser superado em poucas semanas. O luto que não sumiu, desbotando-se em lembranças queridas e em um sorriso pesaroso ocasional, é prova de que você fez alguma coisa errada ou de que não é tão resiliente, hábil ou saudável como achava.

Tristeza, luto, dor: tudo isso significa que há alguma coisa errada com você. Que empacou no que as pessoas chamam de emoções sombrias. Não está seguindo os estágios do luto. Está impedindo a própria recuperação ao permanecer tão triste. Agora você tem uma doença que precisa ser curada.

Quando falamos do luto em termos mais positivos, é sempre como um meio para alcançar um fim. A psicologia popular, os livros de autoajuda, os roteiros de cinema, as tramas dos romances e os textos espirituais glorificam o luto e a perda como caminhos para crescer como pessoa; transcender a perda é o maior objetivo. A felicidade é considerada a verdadeira marca de bem-estar. Sua saúde e sua sanidade dependem da capacidade de superar o luto, reivindicar a equanimidade e encontrar a felicidade interior.

Seu coração partido não tem grandes chances diante de tudo isso. Não há espaço para sua dor simplesmente *existir*.

A NARRATIVA CONTRA O LUTO E AS COISAS BIZARRAS QUE OUVIMOS

Nos primeiros dias do meu luto ouvi coisas inimagináveis sobre minha capacidade de lidar com o sofrimento e sobre o próprio Matt. Disseram que eu não era tão feminista se estava tão perturbada por ter "perdido um homem". Disseram que eu não devia ser muito evoluída, pessoal e espiritualmente, se não conseguisse enxergar o lado positivo da situação. Também ouvi que Matt jamais me amou, que ele estava mais feliz livre do corpo físico do que jamais poderia ser em vida, que ficaria chocado ao ver como eu estava mal. Disseram que Matt e eu atraímos o que aconteceu porque fizemos um seguro de vida – ou seja, de certa forma *esperávamos* que algo assim acontecesse e, por isso, não havia motivo para eu ficar tão mal.

Também ouvi coisas aparentemente maravilhosas: que eu era forte, inteligente e linda, que logo encontraria outra pessoa. Que transformaria essa perda em uma bênção, que devia pensar em todas as pessoas que poderia ajudar. Que, se eu parasse de ficar tão triste, sentiria o amor dele à minha volta (mas só se eu parasse de ficar tão triste). Diziam qualquer coisa para amenizar a dor e a tristeza e me fazer voltar a ter um comportamento aceitável.

As coisas que me disseram nem se comparam às histórias que ouvi de pessoas enlutadas por todo o mundo: você provocou o câncer do seu bebê por ficar guardando mágoas. Você tem outros dois filhos; deveria agradecer por eles existirem. Era o destino dela morrer. É o plano de Deus. Você precisa superar e seguir em frente; ele nem era uma pessoa tão maravilhosa assim. Uma pessoa evoluída não tem esse apego todo a outro ser humano. Você mesma deve ter atraído essa experiência com seus pensamentos. Você precisava dessa lição. E daí que você ficou paralítico? Algumas pessoas jamais têm a chance de testar suas forças, e você tem.

Em meio a um profundo sofrimento, ser julgado, criticado e desdenhado é a norma, não a exceção. Claro, a maioria das pessoas tem boas intenções, mas a distância entre suas intenções e o impacto de suas palavras é enorme.

O problema é que as pessoas acham que o objetivo é sair do luto o mais rápido possível. Como se fosse uma reação bizarra e incorreta ao fato de alguém (ou algo) que você ama ter sido arrancado da sua vida. O luto tem um período curto para ser expresso. Depois disso, espera-se que você volte ao normal, levando consigo as bênçãos que recebeu com a experiência. Você deve se tornar uma pessoa mais sábia, mais compassiva, e entender o que é de fato importante. Permanecer triste significa que não está fazendo as coisas direito.

Nossas noções culturais estão tão entranhadas que pode ser difícil descrever a experiência de receber esse tipo de "apoio" quando estamos de luto. Adiante vamos abordar isso mais a fundo, mas é importante dizer que a maioria das pessoas enlutadas simplesmente para de falar como se sente incompreendida porque parece que ninguém quer ouvir. Paramos de dizer "Isso magoa" porque ninguém escuta.

FICANDO PRESO NO LUTO

Frequentemente me perguntam o que fazer quando um amigo ou familiar parece "preso" no luto. Minha resposta é sempre a mesma: "O que você considera 'não estar preso'? Quais são as suas expectativas?" Para a maioria das pessoas, "não estar preso" significa voltar a trabalhar, recuperar o senso de humor, comparecer a eventos sociais, não chorar todo dia e conseguir falar sobre outras coisas. É parecer... feliz de novo.

Achamos que "feliz" é equivalente a "saudável". Como se a felicidade fosse o fundamento, a norma na qual todas as coisas se acomodam quando estamos vivendo como deveríamos.

Resumindo, "voltar ao normal" é o oposto de "ficar preso", e voltar ao normal (estar feliz) é algo que precisa acontecer rapidamente.

QUANTO TEMPO É TEMPO DEMAIS?

Lembro-me de ter dito a alguém que eu estava tendo um dia difícil umas cinco semanas depois de meu companheiro ter se afogado. A pessoa perguntou: "Por quê? O que está acontecendo?" Respondi: "Ahn. Matt morreu." "Ainda? Você ainda está triste por causa disso?"

Ainda. É. Cinco dias, cinco semanas, cinco anos. Uma das melhores coisas que me disseram nos meses seguintes à morte de Matt foi que, com uma perda dessa magnitude, a expressão "acabou de acontecer" tanto pode significar oito dias quanto 80 anos. Quando falo com alguém que sofreu uma perda há menos de dois anos, sempre digo: "Acabou de acontecer. Foi só há um minuto. Claro que ainda dói." O alívio dele é palpável.

A ideia de que qualquer tipo de dificuldade não deveria durar mais do que uns poucos meses está profundamente entranhada em nós. Qualquer coisa que demore mais é considerada exagero. Como se a perda de alguém que você ama fosse apenas uma inconveniência temporária, uma coisa pequena pela qual não se deve sofrer por tanto tempo.

Nosso modelo médico chama de "transtorno" o luto que dura mais de seis meses. As descrições de lutos supostamente complicados – lutos que exigem intervenção psicológica – incluem continuar tendo saudade do falecido, sentimentos de injustiça e uma sensação dominante de que o mundo jamais voltará a ser o que era (e outras formas de suposto desamparo). Na vida real, esse tempo de expectativa é muito mais curto. Muitos clínicos, clérigos e terapeutas acreditam que continuar se sentindo profundamente afetado pela perda depois das duas primeiras semanas é uma reação "incorreta". O que o modelo médico acredita acaba passando para a população em geral, perpetuando a ideia de que você deveria voltar ao normal o mais cedo possível.

Medicar – e considerar patológica – uma reação natural à perda é um absurdo.

OS ESTÁGIOS DO LUTO E POR QUE TERAPEUTAS FRACASSAM

Como terapeuta, às vezes me pego pedindo desculpas pela minha profissão. Com uma frequência alarmante, ouço histórias de terror contadas por pessoas enlutadas que foram procurar ajuda e saíram do consultório abaladas e com raiva, pois seu luto foi desdenhado, julgado, medicado e minimizado por profissionais que deveriam lhes dar apoio.

Não importa qual seja a orientação teórica do terapeuta, muitos deles são incapazes de ajudar de verdade porque se baseiam em uma interpretação equivocada dos cinco estágios do luto, um modelo proposto pela Dra. Elisabeth Kübler-Ross no livro *Sobre a morte e o morrer*, publicado originalmente em 1969. Ainda que nem sempre os cinco estágios sejam mencionados explicitamente, eles estão na base do que terapeutas e médicos consideram o luto "saudável". E muitas pessoas acabam abandonando o tratamento porque os cinco estágios não se encaixam na experiência real.

Kübler-Ross elaborou sua teoria enquanto ouvia e observava pessoas vivendo com diagnósticos terminais. O que começou como uma forma de entender as emoções de pessoas à beira da morte se tornou uma maneira de criar um "passo a passo" para o luto. Espera-se que a pessoa enlutada passe por uma série de estágios claramente delineados: negação, raiva, barganha e depressão, enfim chegando à "aceitação" quando seu "trabalho" está terminado.

Essa interpretação disseminada e equivocada sugere que existe um modo certo e um modo errado de viver o luto, que existe um padrão ordenado e previsível pelo qual todo mundo irá passar. Você deve percorrer todos esses estágios ou jamais vai se curar.

O objetivo é sair do luto. Você precisa fazer isso do modo correto, e precisa fazer depressa. Se não progredir do modo certo, está *fracassando.*

Em seus últimos anos, Kübler-Ross escreveu que lamentava ter descrito os estágios daquela forma, pois as pessoas entenderam que se tratava de etapas lineares e universais. Os estágios do luto não se destinavam a definir *o que* alguém deve sentir e *quando* deve sentir. Não se destinavam a ditar se alguém está vivenciando o luto "corretamente" ou não. Os estágios, quer fossem aplicados a quem está morrendo ou a quem permanece vivo, se destinavam a normalizar e validar o que alguém *pode* experimentar no redemoinho de loucura que são a perda, a morte e o luto. Destinavam-se a oferecer conforto, não a criar uma jaula.

A morte, e o que vem depois, é um período doloroso e desorientador. Portanto, é compreensível que as pessoas – tanto as enlutadas quanto as outras ao seu redor – busquem algum tipo de mapa, um conjunto de passos ou estágios que garantirá um final bem-sucedido.

Mas não é possível forçar uma ordem para a dor. Não é possível organizá-la ou prevê-la. O luto é tão individual quanto o amor: cada vida, cada caminho, é único. Não existe padrão nem progressão linear. Não existem estágios predefinidos.

Vivenciar bem o luto depende apenas da experiência pessoal. Significa ouvir sua própria realidade. Significa reconhecer a dor, o amor e a perda. Significa dar ao sofrimento espaço para existir sem qualquer rótulo ou amarra.

Você pode experimentar muitas coisas que outras pessoas enlutadas experimentam, e ouvir isso pode ajudar. Mas comparar um modo de vivenciar a perda com outro, como se fosse um teste de erros e acertos, nunca vai ajudar.

Até que os profissionais da área médica sejam ensinados a abordar o luto com respeito e atenção, vai ser difícil encontrar terapeutas dispostos a se postar diante da dor sem considerá-la algo patológico.

Assim, de novo, em nome da minha profissão, peço desculpas. Lamento que o panorama seja tão ruim. É claro que existem muitíssimos terapeutas e médicos maravilhosamente capazes. Eu os encontrei no início do meu luto e sigo conhecendo outros enquanto continuo a fazer esse trabalho. Se você buscou apoio profissional e ficou desapontado, por favor, continue procurando. Existem muitas pessoas boas por aí.

> "Segundo alguns critérios de diagnósticos clínicos, estou sofrendo de depressão moderada a severa e meus níveis de ansiedade estão elevados. Meu psiquiatra sugeriu antidepressivos e terapia cognitivo-comportamental. Saí do consultório me sentindo pior do que entrei. Não estou mais apenas de luto: agora estou com uma doença mental. Deve ser verdade; estou fracassando no luto. Tento não deixar que isso me abale, mas penso se já não devia ter superado. Afinal de contas, já passei do marco dos seis meses."
>
> BEVERLY WARD, aluna do curso *Writing Your Grief*, sobre a morte do seu companheiro.

BORBOLETAS, ARCO-ÍRIS E A CULTURA DA TRANSFORMAÇÃO

Há muitos componentes na cultura do analfabetismo do luto. Existe muito mais coisa por trás de todas as banalidades simplistas e aparentemente inócuas. Já falamos sobre as mensagens orientadas à solução de problemas que estão nas entrelinhas da maior parte do que as pessoas dizem e pensam sobre o luto, mas as raízes da cultura antiluto são profundas. O efeito de gotejamento é apenas o início.

Qualquer busca rápida usando as palavras "luto" ou "sofrimento" resultará em centenas de milhares de imagens de arco-íris e mensagens positivas do tipo "Isso também vai passar". Reconhecemos que coisas difíceis acontecem, claro, mas com trabalho duro e atitude correta tudo vai ficar bem. Afinal de contas, os filmes e os livros sobre o luto sempre mostram um final feliz para a viúva ou a mãe enlutada. Se às vezes as coisas parecem um tanto tristes ou amargas, tudo bem, porque pelo menos agora nosso herói sabe o que é realmente importante. Esse pai ou essa mãe criou algo maravilhoso depois da morte do filho, o que não teria acontecido de outro modo. Aquele acidente terrível, quase fatal, fez com que a família se unisse ainda mais. As coisas sempre terminam bem.

Parte do nosso estranho relacionamento cultural com o luto vem de uma fonte aparentemente inocente: o entretenimento.

Todas as nossas histórias culturais são narrativas de transformação. De redenção. Livros, filmes, documentários, histórias infantis, até as que contamos a nós mesmos: todos terminam em tom positivo. Exigimos um final feliz. Ninguém quer ler um livro em que o personagem principal continua sofrendo no fim.

Acreditamos em contos de fadas e histórias fictícias em que, com esforço e perseverança, as coisas sempre dão certo. Crescemos para encarar a adversidade. Não deixamos nossos problemas nos derrubarem, ou pelo menos que nos mantenham no chão. Nossos heróis – verdadeiros ou ficcionais – são modelos de coragem diante da dor. Os vilões, os personagens decepcionantes, são teimosos demais para dar a volta por cima.

Somos uma cultura de superação. Coisas ruins acontecem, mas por causa delas nos tornamos melhores. Essas são as histórias que contamos. E não somente na ficção.

A cientista social Brené Brown argumenta que vivemos em uma "Era Dourada do Fracasso", em que fetichizamos histórias de transformação por causa de seu final redentor, passando por cima dos momentos sombrios e da dificuldade que o precedem.[1]

Temos uma narrativa cultural que diz que coisas ruins acontecem para nos ajudar a amadurecer e que, não importa quão desoladora a situação pareça, o resultado sempre compensa a luta. Você vai chegar lá e esse final vai ser glorioso.

As pessoas enlutadas recebem reações impacientes exatamente porque não se encaixam no roteiro cultural de superação da adversidade. Se você não "se transforma", se não encontra alguma coisa linda e positiva para tirar da situação, você fracassou. E se não fizer isso no período considerado aceitável, seguindo o arco narrativo que vai do incidente até a transformação, você não está vivendo a história certa.

A ordem geral é de silenciar a verdade, tanto na vida real quanto nos relatos ficcionais. Não queremos ouvir que existem coisas que não podem ser consertadas. Não queremos ouvir que existe um tipo de dor que jamais é redimido. Aprendemos a viver a dor, e isso não é igual a "dar certo no final". Não importa quantos arco-íris e borboletas você enfie na narrativa, algumas histórias simplesmente não nos representam.

RESISTÊNCIA NARRATIVA

Muitas pessoas se rebelam contra essas narrativas de transformação, às vezes sem nem saber o motivo. Aos poucos esses finais fáceis e frágeis começam a perder a preferência.

Honestamente, acho que foi por isso que os livros de Harry Potter fizeram tamanho sucesso. Eles eram sombrios. J. K. Rowling mergulhou nessa escuridão sem procurar torná-la melosa, bonita ou doce. As coisas não ficam bem no final, mesmo havendo beleza no fim. Perda, dor e luto existiam naquele mundo e jamais foram redimidos. Foram suportados.

O mundo de Rowling nos emocionou coletivamente porque precisávamos de uma história mais parecida com a nossa.

Histórias são poderosas. Desde o início dos tempos, as mitologias, as narrativas de origem e os contos de fadas nos apresentaram modelos a seguir e com os quais aprender e nos inspirarmos. Essas histórias nos ajudaram a situar nossa experiência diante de um pano de fundo mais amplo. Ainda fazem isso. Ainda precisamos delas.

Só que estamos famintos por uma nova narrativa cultural. Uma narrativa que combine com o modo como vivemos, que combine mais com nosso coração e com a vida real do que com os filmes. Se quisermos mudar as coisas, se quisermos criar roteiros válidos, realistas e úteis, precisamos passar a recusar o final feliz. Ou talvez redefinir o que é um final feliz.

A HISTÓRIA DO NOVO HERÓI

Quando Matt morreu, fui procurar histórias de pessoas que tinham atravessado esse tipo de perda. Fui procurar histórias de pessoas que vivenciavam uma dor tão gigantesca que obliterava todo o resto. Eu precisava dessas histórias. De um exemplo para viver. O que encontrei foram narrativas sobre como acabar com a dor. Como consertá-la. Como transformar o luto quanto antes. Li repetidamente que havia algo errado comigo por estar tão abalada.

Não eram só os livros que me diziam isso. As pessoas à minha volta, os amigos íntimos, a comunidade em geral, os terapeutas, todos queriam que eu ficasse bem. *Precisavam* que eu ficasse bem, porque uma dor como a minha, como a sua, é incrivelmente difícil de testemunhar. Nossas histórias são difíceis demais de ouvir.

A culpa não era delas. Não mesmo. Elas não sabiam como ouvir. Mas é isto que acontece quando só contamos histórias sobre redenção: ficamos sem referências de como viver em sofrimento. Não temos histórias de como testemunhar e acolher o luto. Não falamos sobre dores que não podem ser curadas. Não temos permissão de mencionar o assunto.

Não precisamos de novas ferramentas para superar o luto. Precisamos é da habilidade de suportá-lo, em nós mesmos e nos outros.

Coletivamente, carregamos um enorme reservatório de sofrimentos que jamais foram ouvidos, simplesmente porque ninguém foi ensinado a ouvi-los. Precisamos contar novas histórias. Precisamos de narrativas inovadoras que digam a verdade sobre a dor, sobre o amor, sobre a vida. Precisamos de histórias reais sobre coragem diante do que não tem conserto. Precisamos fazer isso uns pelos outros; precisamos fazer isso uns *com* os outros, porque a dor existe. O luto existe.

Se quisermos mesmo ajudar pessoas que estão sofrendo, precisamos estar dispostos a rejeitar a noção da dor como uma anomalia que precisa ser transformada ou redimida. Precisamos parar de percorrer os estágios do que jamais foi um roteiro universal.

Ao contar histórias melhores, tecemos uma cultura que sabe testemunhar, sabe apoiar e se fazer presente. Ao contar histórias melhores, aprendemos a ser companheiros mais amorosos para nós mesmos e para os outros.

A dor nem sempre é redimida, seja no fim ou em qualquer outro ponto do caminho. Ter coragem, ser um herói, não tem a ver com superar a dor ou transformá-la em uma bênção. Ter coragem é acordar para enfrentar cada dia quando você preferiria não acordar nunca mais. Ter coragem é seguir em frente quando seu coração está despedaçado em um milhão de cacos e jamais poderá ser colado novamente. Ter coragem é ficar à beira do abismo que acabou de se abrir na vida de alguém e não dar as costas a ele, não encobrir seu desconforto com uma mensagem do tipo "Pense positivo". Ter coragem é deixar que a dor se desenrole e ocupe todo o espaço de que precisar. Ter coragem é contar *essa* história.

É aterrorizante. E é linda.

Essas são as histórias de que precisamos.

E NÃO ACABA AÍ...

Neste capítulo abordamos nosso cenário cultural. Esse panorama pode ajudar você a se sentir uma pessoa mais normal e menos errada durante seu luto. Também pode ajudar na busca por apoio profissional e pessoal. Identificar quem não segue necessariamente o modelo dos estágios ou a narrativa cultural da transformação é um ótimo ponto de partida.

Se quiser saber mais sobre como culturalmente evitamos a dor e sobre as profundas e surpreendentes raízes da vergonha do luto, passe para o capítulo seguinte. Se isso parecer informação demais por enquanto (o luto inicial atrapalha a capacidade de absorver informações), vá direto para o Capítulo 5. Lá você encontrará uma nova visão de auxílio ao luto e de cenários possíveis para vivenciar bem a sua dor.

4

O ANALFABETISMO EMOCIONAL E A CULTURA DA CULPA

Nossa cultura aborda temas como o luto e a morte de uma maneira muito estranha. Julgamos, culpamos e minimizamos. Procuramos os erros que a pessoa cometeu e que justificam sua morte. Ela não se exercitava. Não tomava vitaminas suficientes. Tomava vitaminas demais. Ele não devia ter andado sozinho por aquela rua. Eles não deviam ter ido àquele país em época de furacões. Se a pessoa enlutada está tão perturbada é porque não devia ser muito estável antes da tragédia. Se sua mãe morreu e você não se recuperou prontamente é porque vocês tinham questões mal resolvidas. E por aí vai.

Eu acredito que quanto mais aleatória ou inesperada é a perda, mais julgamentos e penalizações a pessoa enlutada ouve. É como se não pudéssemos admitir a ideia de que alguém esteja vivo de manhã e morto à tarde. Não conseguimos entender como alguém que comia bem, fazia exercícios e era uma boa pessoa pôde ter câncer e morrer aos 34 anos. Não conseguimos entender como uma criança perfeitamente saudável pode morrer de uma doença que começou como uma simples tosse. Como alguém que ia de bicicleta para o trabalho usando uma ciclovia, roupas reflexivas e luzes de alerta pode ter sido atropelado e morrido em um instante.

Essas pessoas só podem ter feito alguma coisa terrivelmente errada. Tem que haver um motivo.

É aterrorizante pensar que alguém que aparentemente fazia tudo certo morreu. É aterrorizante olhar para uma pessoa arrasada pelo luto sabendo que algum dia isso pode acontecer conosco.

Mortes assim podem evidenciar como a natureza da vida é frágil. Como pode mudar fácil e rapidamente.

Quando Matt morreu, a única notícia de jornal que eu li o culpou pela morte, porque ele não estava usando colete salva-vidas para ir nadar. Os comentários mais educados abaixo da matéria transformavam Matt em um anjo, zelando por todo mundo, até por quem não o conhecia; seu trabalho na Terra havia terminado. Um número muito maior de comentários me culpava por tê-lo "feito" entrar na água ou punia a nós dois por sermos idiotas o bastante para termos entrado.

Nos dias após a morte dele, entreouvi mais de uma conversa em que as pessoas julgavam minha reação à perda. Veja bem: eu não estava gritando em público, não bati em ninguém nem estava fazendo "cena" em lugar nenhum. Estava simplesmente, explicitamente, muito, muito triste.

A VÍTIMA CONSTRANGIDA E A CULTURA DA CULPA

Minha experiência de culpa e julgamento, tanto em relação ao meu luto quanto em relação a Matt e sua morte, está longe de ser um caso isolado. A maioria das pessoas enlutadas já se sentiu julgada e constrangida em sua dor.

Especialmente quando a perda é incomum, violenta ou acidental, o golpe da culpa é intenso: analisamos imediatamente o que a pessoa fez de errado. Quem morreu deve ter feito alguma coisa ridícula ou idiota; nós jamais faríamos isso. De certa forma, essa noção acalma nosso cérebro, levando-o a acreditar que, com bom senso, nós e todos a quem amamos podemos ser mantidos em segurança. E que, se alguma coisa ruim acontecer (ainda que não por falha nossa), seremos fortes o suficiente para enfrentar. Acreditamos que o luto não irá nos derrubar, que tudo ficará bem.

A pesquisa de Brené Brown mostrou que a culpa é um modo de descarregar a dor e o desconforto. O luto é um lembrete de que nossa vida é frágil e que nós podemos ser os próximos. Essa é uma evidência incrivelmente incômoda. Precisamos fazer uma dança elaborada (ou melhor, um raciocínio elaborado) para minimizar o incômodo e manter o senso de segurança.

Quando alguém se aproxima de você e, falando sobre a sua dor, diz "Nem consigo imaginar", a verdade é que a pessoa consegue imaginar, sim. O cérebro dela *começou* a imaginar automaticamente. Como mamíferos, somos conectados neurobiologicamente. A empatia é uma conexão do sistema límbico com a dor (ou a alegria) de outra pessoa. Estar perto de alguém sofrendo nos faz sofrer. Nossos cérebros sabem que estamos conectados.

Ver alguém sofrendo provoca uma reação que nos deixa desconfortáveis. Diante desse conhecimento visceral de que poderíamos estar em uma situação semelhante, fechamos nossos centros de empatia. Negamos a conexão. Passamos para o julgamento e a culpa.

É um instinto de proteção emocional.

Fazemos isso em um nível pessoal, mas também globalmente. Podemos ver isso com clareza na epidemia cultural de violência contra mulheres e minorias: *a vítima deve ter feito alguma coisa para merecer isso.* Também vemos esse padrão em nossas reações a grandes desastres naturais ou provocados pelo homem: depois do tsunami de 2011 no Japão, algumas pessoas disseram que tinha sido uma "vingança cármica" pelo ataque dos japoneses a Pearl Harbor.[1]

Em muitos sentidos, e de muitas formas, reagimos à dor dos outros lhes atribuindo culpa: se aconteceu alguma coisa terrível, fizeram por merecer.

Culpar uma pessoa pela dor que ela sente, seja devido ao luto ou a algum tipo de violência, é um mecanismo automático. Somos muito mais rápidos em julgar do que em ter empatia. Somos mais rápidos em argumentar do que em reconhecer a dor.

Na raiz dos nossos temores com relação ao luto, e em nossas abordagens ao luto e à perda, existe o medo da conexão. Um medo de reconhecer que somos iguais e que o que acontece com uma pessoa pode acontecer com qualquer outra. Nós nos vemos refletidos na dor do outro e não gostamos disso.

Tragédias e mortes provocam um nível de empatia emocional que nos força a nos colocarmos no lugar do outro, a reconhecer que aquilo pode acontecer conosco ou com alguém que amamos, não importa quanto tentemos ficar em segurança. Odiamos saber que temos pouco controle sobre as coisas. Fazemos de tudo para ignorar isso. O que começa com uma conexão baseada no sistema límbico se transforma em um instinto de sobrevivência do tronco cerebral, uma reação do tipo "nós ou eles", que coloca as pessoas em sofrimento de um lado e nós do outro – que é, por acaso, o lado certo. Nós nos afastamos da dor para não nos sentirmos aniquilados por ela.

A cultura da culpa nos mantém em segurança. Ou melhor, permite que acreditemos estar em segurança.

FAZENDO QUALQUER COISA PARA EVITAR A DOR

Queremos desesperadamente ter provas de que todo mundo que amamos está – e sempre estará – em segurança. Queremos acreditar que vamos sobreviver a qualquer coisa. Queremos acreditar que temos controle. Para manter essa crença, nós criamos, e alimentamos, toda uma cultura baseada em um *continuum* de pensamento mágico: tenha os pensamentos certos, faça a coisa certa, seja suficientemente evoluído/desapegado/otimista/fiel e tudo vai ficar bem. No Capítulo 3 falamos sobre a narrativa cultural da redenção e da transformação. Isso também faz parte desse mecanismo de segurança para a sobrevivência.

A dor e o luto jamais são vistos como reação saudável à perda. São ameaçadores demais para isso. Resistimos a eles na mesma medida em que tememos ser consumidos por eles.

O problema, entre muitos outros, é que isso cria uma estrutura de culpa socialmente aceitável em que qualquer tipo de dificuldade ou dor é recebido com constrangimento, julgamento e uma advertência para voltar logo ao "normal". Se você não consegue superar essa situação, de novo, é porque fez algo errado.

E DEUS?

Eu seria negligente se não mencionasse o papel da religião na mentalidade de evitar a dor. Quando alguém que amamos está doente ou correndo perigo, rezamos para que fique bem. Se a pessoa sobrevive, agradecemos a Deus por ter escapado. Dizer "Somos muito abençoados!" é um modo comum de expressar alívio por um resultado positivo. Como discutimos no Capítulo 2, há o outro lado desse sentimento: se Deus salva algumas pessoas, especialmente aquelas pelas quais rezamos, então aquelas que morrem são... não abençoadas. As orações, e os humanos que rezaram, fracassaram. Ou isso ou um deus caprichoso e onisciente tinha um motivo para não salvá-las. Essa ideia de que alguma força superior no universo decide quem vive e quem morre cria, como escreve Cheryl Strayed, "uma falsa hierarquia dos abençoados e dos condenados".[2]

De fato, Strayed descreve essa ideia com tanta perfeição que não posso fazer melhor. Em seu livro *Pequenas delicadezas*, Strayed se dirige a uma mãe perguntando que papel Deus pode ter representado em salvar a filha dela de uma doença mortal (ou em ter deixado que a menina ficasse doente, para começo de conversa), e se ela ainda conseguiria acreditar em Deus se sua filha tivesse morrido:

> Muitas pessoas foram devastadas por motivos que não podem ser explicados nem justificados em termos espirituais. Perguntar desse jeito (por que Deus faria isso?) cria uma falsa hierarquia entre os abençoados e os condenados. Usar nossa sorte ou nosso azar individuais como um teste decisivo para determinar se Deus existe ou não cria uma dicotomia ilógica que reduz nossa capacidade de compaixão. Sugere um toma lá dá cá religioso que desafia a história, a realidade, a ética e a razão.[3]

Essa crença em um deus que pode mudar de ideia a pedidos humanos é um território incrivelmente complicado. Ela afligiu as pessoas durante toda a história da humanidade. Não podemos conciliar nossas ideias de um deus amoroso, em qualquer tradição, com os horrores que acontecem em escala pessoal ou global. O que criamos diante dessa dissonância cognitiva é a ideia de que existe uma força a que você pode agradar ou desagradar através de seus atos ou seus pedidos. Isso nos dá algum senso de poder e controle sobre o que parece um universo aleatório cheio de injustiças.

As raízes de qualquer tradição nos convocam a amar e a apoiar uns aos outros por todas as agruras da vida. A fé não pretende ser um meio de mudar o resultado de nada. Esse deus que parece uma máquina de venda, distribuindo recompensas e castigos baseado em nossas ideias inconstantes sobre o que significa ser "abençoado", é um desserviço para quem se apoia na fé em momentos de dificuldade. Uma definição tão estreita de fé também é um desserviço a nossas lindas tradições: a crença em algo maior do que nós nos ajuda a sobreviver. Essa crença nos acompanha e nos ajuda a seguir vivendo, mas não diz quem está certo, quem está errado, quem é salvo e quem deve sofrer.

Usar a fé para encobrir nossos temores sobre segurança, controle e conexão é apenas mais uma parte da disseminada cultura da culpa. Acrescenta um elemento de crueldade espiritual a um caminho já desafiador.

O CULTO DA POSITIVIDADE

É mais fácil criar regras que nos permitam a ilusão de controle do que aceitar que, mesmo quando fazemos tudo "certo", coisas horríveis podem acontecer. De um modo ou de outro, a ideia da culpa como estratégia de segurança está presente desde o início da humanidade.

Culpar a vítima (e tornar o luto constrangedor) é algo tão disseminado que nem sempre percebemos.

Ainda que as religiões organizadas tenham historicamente espalhado esse modelo de universo em que basta "um passo em falso", a cultura moderna também encontrou uma abordagem para o sofrimento, a morte e o luto: a ideia de que você cria sua realidade. Tudo que acontece no exterior é apenas um espelho do interior. Você só é feliz na medida em que se permite ser. Não há espaço para a tristeza e a gratidão coexistirem. A intenção é tudo. A felicidade é um trabalho interior. O pessimismo é a única deficiência verdadeira.

Mesmo quando admitimos que acontecem coisas fora do nosso controle, insistimos que nossas reações *estão* sob nosso controle. Acreditamos que a tristeza, a raiva e o luto são emoções "sombrias", produto de uma mente pouco evoluída e certamente menos capaz. Podíamos não ter como impedir o que aconteceu, mas somos capazes de mitigar seus efeitos simplesmente *decidindo* ficar bem. Qualquer sinal duradouro de perturbação é prova de que não estamos olhando a situação sob a perspectiva correta.

Escondida nesse conselho aparentemente encorajador de assumir o controle das nossas emoções, e portanto da nossa vida, está a cultura da culpa. É o impulso de evitar a dor travestido em um discurso positivo, pseudoespiritual. É a presunção de que a felicidade e o contentamento são as únicas medidas verdadeiras da saúde.

> "Já faz mais de três anos que você partiu e ainda estou cansada de ouvir as pessoas perguntando como estou. Será que elas realmente acham que vou dizer a verdade? Estou cansada de ouvir que tudo já estava planejado antes mesmo de você nascer e que concordei com a sua morte para que minha alma e a sua pudessem evoluir. Ninguém quer admitir que talvez só exista o caos e que algumas coisas acontecem porque podem acontecer, como carros atropelando pessoas, balas atravessando crânios ou abrindo um coração, coágulos enchendo pulmões de modo que a pessoa não consegue respirar, o câncer consumindo o que resta do corpo. Uma vida previamente mapeada não torna menos devastadora a morte de alguém que a gente ama.
>
> Estou cansada de ouvir dizer que há um motivo para a sua morte, para a minha tristeza,

> e que, quando chegarmos ao outro lado, tudo fará sentido. Nunca fará sentido, nem quando meu coração parar de doer tanto. Sinto sua falta. Queria que você não tivesse morrido."
>
> DRU WEST, aluna do curso *Writing Your Grief*, sobre a morte de sua filha, Julia.

QUAL É O PROBLEMA EM SER POSITIVO?

A escritora e pesquisadora Barbara Ehrenreich chama isso de "ditadura do pensamento positivo". Sua experiência com o mecanismo do pensamento positivo (e de uma forçada "perspectiva feliz") resultou primeiro de sua experiência com o câncer, com exortações para enxergar seu diagnóstico como uma bênção e banir as emoções "negativas" para vencer a doença:

> A primeira coisa que descobri foi que nem todo mundo parece enxergar essa doença com horror ou pavor. Para alguns, a única atitude adequada é o otimismo. Isso exige a negação de sentimentos compreensíveis, como raiva e medo, que devem ser enterrados sob uma camada cosmética de alegria... Sem dúvida há um problema quando o pensamento positivo "fracassa" e o câncer se espalha ou não responde ao tratamento. Então o paciente só pode culpar a si mesmo: não está sendo suficientemente positivo; talvez sua atitude negativa é que tenha provocado a doença...
>
> Na cultura americana há uma força ideológica da qual eu não tinha consciência, uma força que nos encoraja a negar a realidade, a submetermo-nos alegremente ao infortúnio e a culpar apenas a nós mesmos pelo nosso destino... De fato não existe nenhum tipo de problema ou obstáculo para o qual o pensamento positivo ou a atitude positiva não tenham sido propostos como cura.[4]

Ehrenreich passou a estudar o pensamento positivo durante a crise financeira de meados da década de 2000 e seus desdobramentos para as pessoas que tinham perdido o emprego, a casa ou as economias. Diante da pobreza e de outros problemas financeiros, muitas pessoas ouviam que as demissões e a perda de suas casas eram uma bênção, e que para sermos realmente bem-sucedidos precisamos apenas acreditar em nós mesmos e manifestar uma atitude positiva. Qualquer obstáculo pode ser superado se você acreditar o suficiente. Como um modo de desviar a responsabilidade das corporações que causaram o colapso, a positividade forçada era uma estratégia brilhante. "Existe modo melhor de abafar qualquer revolta do que dizer às pessoas que estão sofrendo que o problema é gerado pela atitude delas?", escreve Ehrenreich.[5]

Existe modo melhor de silenciar a dor do que culpar quem a sente?

Esse tipo de encobrimento contra a reclamação, o desconforto ou a dúvida tem raízes profundas. Para não abordar as verdadeiras causas da pobreza, da violência, da desigualdade ou da instabilidade, por toda a história os governantes abafaram revoltas impondo o otimismo e deturpando os retratos fiéis da situação. Compartilhar dúvidas ou temores sobre a realidade podia fazer com que a pessoa fosse morta ou posta no ostracismo (o que em muitas culturas significava a morte, já que a pessoa era excluída da proteção da sua comunidade). Se o otimismo forçado não funcionava para impedir a revolta, então afastar o foco da realidade e voltá-lo para algum tipo de terra prometida ou futuro celestial costumava funcionar: *Quanto mais você sofrer agora, maior será a recompensa depois. Você está passando por um teste, para ver como reage sob pressão.*

Podemos associar isso ao antigo modelo religioso sobre o qual boa parte da cultura ocidental foi construída. Se existe algo errado na sua vida, é porque você fez algo errado. Você irritou Deus (ou a classe dominante). Não estava seguindo as regras direito. O sofrimento é o preço do pecado. Claro que você está sendo punido. Se, de algum modo, você estava fazendo tudo certo e mesmo assim as coisas deram errado, bom... sua recompensa está no céu. Os que sofrem estão mais perto de Deus. Sua compensação está na outra vida, na terra prometida, em algum mítico tempo melhor em que as coisas finalmente vão dar certo.

Não é novo esse hábito de culpar a vítima e glorificar o sofrimento; só temos uma linguagem muito mais bonita para falar sobre ele agora.

Alguns governos ainda usam o desvio da culpa com motivações

políticas, e esse método influencia totalmente a abordagem do sofrimento e da perda em muitas culturas. Podemos ver como ela aparece na psicologia popular e nas versões New Age da filosofia oriental, com um tom ligeiramente diferente: se você está sofrendo, é porque não está no alinhamento correto com o seu eu verdadeiro. Se estivesse mais em contato com a sua "essência", teria previsto o que aconteceu. A doença ou os problemas são sinais de que você estava abrigando algum tipo de negatividade ou ressentimento; a coisa apenas tomou forma física porque estava escondida nos seus pensamentos.

Sem dúvida, se alguma coisa ruim acontece, lamentamos por você. As tradições orientais nos ensinaram que devemos ter compaixão pelos outros. Mas tudo acontece por um motivo e, se você fosse mais espiritualizado, estivesse mais centrado, mais em contato consigo mesmo e com o mundo, isso não teria acontecido. Talvez você esteja resolvendo algum carma do passado. Talvez esteja acumulando carma bom para uma vida futura. Em alguma esfera maior, você concordou com essa "lição de vida". Se estiver mesmo no caminho para a iluminação e evoluindo de verdade, e ainda assim acontecer alguma coisa ruim, a resposta mais erudita é superar. Praticar o desapego. Não se deixar estressar. Encontrar o lado bom disso tudo.

Segundo essa visão, devemos aceitar o sofrimento como uma bênção da qual precisávamos para nos tornarmos pessoas melhores *e* nos recusar a deixar que a perda nos afaste do comportamento normal, feliz, otimista. Os estados emocionais dolorosos não devem durar; são paradas de curto prazo no caminho para um *você* mais luminoso e melhor (ou pelo menos mais "normal"). O sofrimento traz amadurecimento.

Tudo isso faz parte do roteiro cultural que glorifica a transformação ao mesmo tempo que evita a realidade da dor no mundo.

O DESVIO ESPIRITUAL E O MITO DA ILUMINAÇÃO

A cultura da culpa e a epidemia de esconder o sofrimento ficam especialmente intrincados quando observamos as ferramentas espirituais, meditativas ou de outros tipos para a reflexão e o crescimento.

Temos uma ideia de que ser "espiritualizado" ou "evoluído" significa não se abalar com nada. Nós nos escondemos dizendo que suplantamos a dor ou que decidimos aplicar os ideais orientais de "desapego"; portanto, é pouco evoluído ficarmos perturbados com qualquer coisa mundana. Permanecer calmo e sereno em qualquer situação é sinal de desenvolvimento espiritual e emocional.

Também pensamos que as práticas espirituais se destinam a amenizar nossa dor e a nos levar ao equilíbrio. Acreditamos que essas ferramentas se destinam a fazer com que nos sintamos melhor.

Não importa quanto nossa cultura insista nisso, as práticas espirituais e meditativas não se destinam a apagar a dor. Esse é um sintoma da *nossa cultura*, e não um retrato preciso dessas práticas.

As práticas espirituais em qualquer tradição, inclusive a meditação da atenção plena, têm o objetivo de nos ajudar a conviver com nossos problemas, não a suplantá-los. Pretendem nos mostrar que o sofrimento é uma companhia constante em nossa vida. Pretendem nos oferecer um espaço de calma dentro do que é totalmente insuportável. Não é a mesma coisa que fazer a dor passar.

Os ensinamentos de qualquer tradição espiritual nos ajudam a nos tornarmos mais humanos: mais conectados, e não desapegados.

Boa parte do que agora chamamos de *desvio espiritual* é a antiquíssima separação entre a cabeça e o coração: tentar superar a condição humana tornando-nos mais racionais. Fazemos isso porque ser humano *dói*. Dói porque amamos. Porque estamos conectados às pessoas ao redor e é doloroso quando elas morrem. Dói quando perdemos o que amamos. Ser uma pessoa com sensibilidade espiritual nos torna mais abertos à dor, ao sofrimento e às dificuldades, e tudo isso faz parte do amor.

Ascender às nossas esferas intelectuais e cuspir ditados espirituais é apenas mais um modo pelo qual tentamos nos salvaguardar contra *sentimentos*. É mais um modo pelo qual tentamos proteger nosso apego negando que o temos. Podemos dizer que esse é um pensamento evoluído, mas é o instinto de sobrevivência do tronco cerebral que está comandando o espetáculo. Precisamos é do nosso sistema límbico: da capacidade de nos enxergarmos um no outro e de reagir com amor.

Não devemos superar a dor de sermos humanos negando-a, e sim experimentando-a. Permitindo que ela exista, que ela seja, sem impedi-la nem contê-la, sem – com nossas formas de resistência mais atuais, mais modernas – dizer que não é "evoluído" sentir dor. Isso é besteira. É elitismo. Seguindo essa lógica, você não se permite sentir dor para poder voltar a um patamar normativo de felicidade.

Você se permite sentir dor porque ela é real. Porque é mais fácil permitir do que resistir. Porque lidar com o que existe é mais gentil, mais suave, mais generoso e mais fácil de suportar, mesmo quando nos despedaça. Porque testemunhar a dor, sem trancá-la ou negá-la, *é* iluminação. Sua resiliência e sua inteligência emocional precisam estar bem firmes para permitir que você encare a realidade da perda.

Qualquer que seja a sua fé, ela não deve forçar você a superar a dor nem a negá-la de algum modo. Na verdade, a prática espiritual costuma fazer a gente sentir com mais intensidade, e não menos. Quando você está devastado, a reação correta é ficar devastado. Fingir o contrário é uma espécie de arrogância espiritual.

> O desvio espiritual – o uso de crenças espirituais para evitar sentimentos dolorosos, mágoas não superadas e necessidades de desenvolvimento – é tão disseminado a ponto de quase passar despercebido. Os ideais espirituais de qualquer tradição, sejam os mandamentos cristãos ou os preceitos budistas, podem fornecer uma justificativa fácil para os praticantes se afastarem dos sentimentos incômodos em favor de uma atividade aparentemente mais evoluída. Quando estão separadas de necessidades psicológicas fundamentais, essas ações costumam fazer mais mal do que bem.
>
> ROBERT AUGUSTUS MASTERS, *Spiritual Bypassing: When Spirituality Disconnects Us from What Really Matters*

Por favor, você não está fracassando em ser uma pessoa "espiritualizada" ou "emocionalmente inteligente" porque está abalado. Ficar abalado faz todo o sentido, e seu desejo de vivenciar a própria dor é um sinal de sua profunda capacidade emocional. A empatia – seja com nós mesmos, seja com os outros – é o verdadeiro sinal de evolução.

> "Estou com muita raiva do monge budista que consultei para me tornar 'centrada' no meu luto. Ele me falou sobre as Quatro Nobres Verdades, que todo o meu sofrimento está na mente e que eu precisava abrir mão do apego. Foram as palavras mais cruéis que eu poderia ouvir. Ele ficou dizendo que 'tudo está na mente, tudo está na mente'. E, quando perguntei 'Mas e o coração?', ele não teve resposta."
>
> MONIKA U. CURLIN, aluna do curso *Writing Your Grief*, sobre a morte acidental de seu marido, Fred.

O PREÇO DE EVITAR O LUTO

Sei que toda essa conversa sobre as raízes históricas de evitar a dor pode fazer com que eu pareça mesquinha e rabugenta por criticar a situação do mundo. Em certo sentido, sou exatamente isso. Mas eu passo o dia inteiro ouvindo sobre a dor que as pessoas de luto aguentam *além* do luto em si. Ouço dizer, repetidamente, como é doloroso ser julgado, ignorado e incompreendido.

O culto da positividade presta um desserviço a todo mundo. Ele nos leva a acreditar que temos mais controle sobre o mundo do que de fato temos e nos considera responsáveis por cada dor e cada desgosto que enfrentamos. Estabelece um mundo em que devemos ter cuidado para não incomodar os deuses, o carma ou nossos corpos com nossos pensamentos negativos. Coopta ferramentas de conforto e libertação, forçando-as a servir para negação e ilusão. Esse culto nos leva a falar banalidades inúteis para as pessoas enlutadas, alardeando alguma gloriosa recompensa futura imaginada ao mesmo tempo que ignoramos a dor muito real e atual.

Abordamos o luto da mesma forma que abordamos muita coisa na vida. A psicóloga Susan David, da Escola de Medicina de Harvard, escreve que nosso diálogo cultural é fundamentalmente evasivo. À medida que começamos a destrinchar nossa linguagem relativa ao luto e à perda, vemos como isso é completamente verdadeiro e toca muitas outras áreas da vida.

Se quisermos melhorar nesse aspecto, se quisermos mudar as coisas não somente para as pessoas enlutadas, mas para todo mundo, precisamos falar sobre o alto custo de negar o luto em todas as suas formas.

Em nível pessoal, reprimir a dor e os problemas cria uma situação interior insustentável, por isso precisamos medicar e administrar nossa tristeza verdadeira e nosso luto para manter uma aparência externa de "felicidade". Não mentimos bem para nós mesmos. A dor não vai passar se não for encarada e reconhecida. Ela tenta ser ouvida de todo modo possível, frequentemente se manifestando no vício em drogas, na ansiedade, na depressão e no isolamento social. Dores silenciadas ajudam a perpetuar ciclos de abuso, obrigando as vítimas a reproduzir o trauma ou a descontá-lo nos outros.

Nossa incapacidade básica de tolerar a dor, a dificuldade e o medo também nos mantém paralisados diante do sofrimento global. É atordoante a quantidade de sofrimento que há no mundo, e nos esforçamos para não vê-lo. Evitar a conexão com os outros exige nos alienarmos da devastação ambiental, do sofrimento humano, do abuso infantil e do tráfico sexual, das guerras globais, dos crimes de ódio de todos os tipos. Quando vemos sofrimento, ficamos ultrajados em vez de pesarosos. A ativista e escritora Joanna Macy fala sobre as dores silenciadas e indesejáveis que há no coração da maioria dos ativistas. É como se tivéssemos medo de que a força da nossa tristeza nos deixasse mudos, impotentes e incapazes de prosseguir. A dor silenciada resulta em esgotamento, alienação e em uma nítida falta de empatia com quem tem pontos de vista diferentes.

A evasão e a difamação culturais de nossas perdas e dores humanas criam tantos problemas que não seria exagero dizer que temos uma epidemia de sofrimento silenciado.

Assim, embora estejamos focados na evasão mais ampla, cultural, do luto, porque isso se relaciona com nosso luto pessoal, é importante reconhecer como esse problema é realmente disseminado. A imposição do silêncio contra a dor está em toda parte. Todo mundo tem um papel a representar na superação de nossa cultura tão avessa ao sofrimento.

> Devem existir pessoas com quem possamos nos sentar e chorar e ainda sermos considerados guerreiros.
>
> ADRIENNE RICH, *Sources*

APEGO É SOBREVIVÊNCIA

A dor precisa ser bem recebida e compreendida, ganhar um lugar à mesa; caso contrário, não podemos fazer nossa parte, seja o trabalho pessoal de permanecer presente e vivo ou o trabalho global, mais amplo, de tornar o mundo seguro, justo e lindo para todos os seres. Precisamos ser capazes de dizer a verdade sem medo de sermos considerados fracos, defeituosos ou, de algum modo, fracassados no roteiro cultural. Precisamos tornar tão normal falar da nossa dor quanto da nossa alegria.

Não é necessário apressar a redenção.

Coisas difíceis, dolorosas e terríveis acontecem. Essa é a natureza da vida neste mundo. Nem tudo dá certo; nem tudo acontece por um motivo. O verdadeiro caminho, o verdadeiro avanço, não é negar a existência da dor irredimível, e sim reconhecer que ela existe. Devemos nos tornar suficientemente fortes para testemunhar a dor. Devemos ficar juntos durante o sofrimento. Devemos nos abrir para a dor do outro, sabendo que da próxima vez pode acontecer conosco.

Quando tememos a perda, nos agarramos a um sistema de certo e errado, de bem e mal, de impedir nossas conexões com as pessoas amadas. Pensamos que criar uma barricada contra a dor e o luto irá nos ajudar a sobreviver.

Nossa aversão profunda à dor e às dificuldades – a reconhecer a dor e as dificuldades – nos afasta do que mais queremos: segurança. Segurança em forma de amor, conexão e afinidade. Reagimos na defensiva para não perdê-la, mas ao fazer isso nos impedimos de vivê-la.

O complicado é que não existe sobrevivência verdadeira em um mundo em que precisamos mentir sobre nossos sentimentos ou fingir que temos mais controle do que de fato temos. Isso nos torna desesperadamente mais ansiosos e furiosos na tentativa de fazer tudo dar certo no final.

O modo mais eficiente e eficaz de estarmos "seguros" neste mundo é parar de negar que coisas difíceis e impossíveis acontecem. Dizer a verdade permite que nos conectemos, que mergulhemos totalmente na experiência de outra pessoa para *sentir junto com ela.*

A verdadeira segurança está em entrar na dor do outro, reconhecendo-nos dentro dela. Como um dos meus professores mais antigos costumava dizer, comover-se é criar afinidade. O fato de nos compadecermos uns dos outros demonstra nossa proximidade. Nosso sistema límbico, nosso coração e nosso corpo são feitos para isso; nós ansiamos por essa conexão.

É lindo conseguir enxergar no luto de outra pessoa o nosso potencial para o luto e a perda. Comover-se é criar afinidade.

Quando surge a emoção, podemos deixar que essa comoção nos atravesse. Isso dói, mas dói porque temos afinidade, somos conectados. Deve doer. Não há nada de errado nisso. Quando reconhecemos a dor e o luto como reações saudáveis à perda, podemos reagir com habilidade e elegância em vez de atribuir culpa e apontar desvios. Podemos reagir amando uns aos outros, não importando o que aconteça.

Encontrar segurança significa nos unirmos de coração aberto e com curiosidade e disposição em relação a tudo que experimentamos: amor, alegria, otimismo, medo, perda e dor profunda. Quando somos capazes de reagir a qualquer coisa com amor e conexão, encontramos uma segurança que não pode ser tomada pelas forças externas do mundo. Ela não impedirá a perda, mas permitirá que nos sintamos abraçados e apoiados no que não tem conserto.

O verdadeiro auge do crescimento e do desenvolvimento está em *sofrer juntos.* Está no companheirismo, e não na penalização. O reconhecimento – ser vistos, ouvidos e testemunhados nas nossas situações verdadeiras – é o único remédio para o luto.

5

O NOVO MODELO DO LUTO

Depois de mergulharmos nas raízes culturais da evasão do luto, como encontramos o caminho de volta? Como ficamos – não apenas individualmente, mas como cultura – confortáveis com a realidade de que existem dores que não podem ser curadas? Como nos tornamos pessoas que sabem que a melhor resposta para o luto é o companheirismo, e não a penalização?

Ignorando por um momento toda a parte cultural e focando apenas em você, na sua dor, o que *você faz* com relação ao luto? Se ninguém fala sobre viver com uma dor insuportável, como você consegue continuar?

Precisamos encontrar um novo modelo. Uma história melhor para viver.

Temos a ideia de que só existem duas opções para o luto: ficar preso na dor, condenado a passar o resto da vida encolhido em um canto do porão e vestindo um saco de batatas, ou triunfar sobre o luto, passar por uma transformação e dar a volta por cima.

Apenas duas opções. Dentro, fora. Eternamente arrasado ou completamente curado.

Não parece importar que nada na vida funcione assim. De algum modo, quando se trata do luto, toda a amplitude da experiência humana voa pela janela.

Existe todo um território intermediário entre esses dois extremos (assim como em tudo na vida), mas não sabemos lidar com isso, não sabemos como abordar o luto quando saímos desse modelo cultural de estar totalmente curado ou permanecer irrevogavelmente devastado.

São pouquíssimas opções. Não posso atuar dentro desse espaço, pois não é real. Não funciono no modelo de transformação. Não posso dar um final feliz para as coisas. Não posso amarrar um belo laço de fita em tudo e dizer "Vai ficar tudo bem e você vai dar a volta por cima" porque não acredito nisso e não é verdade.

Ao mesmo tempo, não posso deixar você sem alguma noção em que se basear. Não posso simplesmente dizer: "Desculpe, vai ser horrível para todo o sempre e você nunca vai sentir nada diferente." Não posso deixar você, nem ninguém, encolhido no canto daquele porão. Isso também não é certo.

O que estou propondo é um terceiro caminho. Um meio-termo. Nem dentro nem fora. Uma forma de cuidar da dor e do luto ao vivenciá-los. Sem ignorá-los e sem apressar uma redenção, mas presenciando, bem de perto, seu universo destruído. Construindo, de algum modo, um lar nesse universo. Mostrando que você pode levar a vida de sua escolha sem precisar escolher entre essas duas opções: abandonar seu amor e ficar "bem" ou manter seu apego e ficar "preso".

Encontrar esse meio-termo é o verdadeiro trabalho do luto – o meu e o seu. Cada um de nós precisa encontrar o caminho para esse ponto intermediário. Um lugar que não nos pede para negar o luto e não nos condena para sempre. Um lugar que respeita toda a amplitude do luto, que na verdade é toda a amplitude do amor.

> A única escolha que temos ao amadurecermos é a de como habitamos nossa vulnerabilidade, como crescemos e ficamos mais corajosos e mais compassivos com a perda através da intimidade. Nossa escolha é habitar a vulnerabilidade como generosos cidadãos da perda, com determinação e comprometimento, ou contrariamente, como avarentos e reclamões, relutantes e temerosos, sempre diante

dos portões da existência, mas jamais tentando entrar com coragem e resolução, jamais querendo nos arriscar, jamais passando totalmente pela porta.

DAVID WHYTE, *Consolations*

MAESTRIA *VS.* MISTÉRIO

Não existem muitos registros sobre os momentos iniciais do luto, essa zona próxima do impacto onde nada realmente ajuda. Temos tanto medo do luto intenso e dos sentimentos de impotência engendrados por ele que a maioria dos recursos que existem não consegue dialogar com ele. É muito mais fácil nos concentrarmos no luto posterior, meses e anos depois, quando "reconstruir a vida" é uma abordagem mais palatável. Mas é no início do luto que mais precisamos de delicadeza, compaixão e conexão. É quando uma mudança em nossas abordagens culturais e pessoais ao luto têm mais força e provocam o bem mais duradouro.

O luto não precisa de mais solução do que o amor. Não podemos "superar" a morte, a perda ou o luto. Esses são elementos irremovíveis do estar vivo. Se continuarmos a abordá-los como se fossem problemas a solucionar, nunca iremos obter consolo ou conforto de nossa dor mais profunda.

Ao discutir a perda ambígua e o alicerce ocidental do luto silenciado, a psicóloga Dra. Pauline Boss fala da "orientação para a maestria" na cultura ocidental: somos uma cultura que adora resolver problemas.[1] É essa orientação para a maestria que nos permite encontrar curas para doenças, nos fornece tecnologias fantásticas e em geral torna a vida muito melhor. O problema da orientação para a maestria é que ela nos faz olhar tudo como um problema a ser solucionado ou um desafio a ser vencido. Coisas como nascimento e morte, luto e amor não se encaixam bem nessa narrativa da maestria.

É essa intenção de consertar, curar, voltar ao "normal" que estraga tudo. Interrompe a conversa, interrompe o crescimento, interrompe a conexão, interrompe a intimidade. Honestamente, se apenas mudássemos nossa abordagem do luto como um problema a ser resolvido e, em vez disso, o víssemos como um mistério a ser respeitado, boa parte da nossa linguagem de condolências poderia permanecer a mesma.

Não podemos travar uma guerra contra o "problema" do luto sem travar uma guerra nos corações uns dos outros. Precisamos deixar que o que é verdade seja verdade. Precisamos encontrar meios de compartilhar a experiência devastadora da perda, na nossa vida e no mundo como um todo. Abrir caminho à força pelo sofrimento jamais nos dará o que mais queremos: sentir que somos ouvidos, que temos companhia e somos vistos de verdade na nossa real situação.

O que precisamos é substituir essa orientação para a maestria no luto por uma abordagem do mistério no amor: todas as partes do amor, especialmente as difíceis.

Reverenciar o mistério do luto e do amor é uma reação muito diferente de tentar consertá-lo. Encarar seu coração partido com respeito e reverência consagra a sua realidade. Dá espaço para você expressar como está, sem precisar amenizar o sentimento ou superá-lo rapidamente. Uma parte de você vai poder relaxar. Fica muito mais fácil sobreviver ao insuportável.

Isso parece intangível demais para ter utilidade, mas encontrar o meio-termo do luto só acontece quando nos voltamos para encará-lo. Quando permitimos que a realidade do luto exista, podemos nos concentrar em nos ajudar, e ajudar uns aos outros, a sobreviver durante a dor.

UM MUNDO MELHOR

O novo modelo do luto não trata de amenizá-lo ou superá-lo, e sim de encontrar maneiras novas e belas de conviver com a dor. É encontrar um amor suficientemente intenso para testemunhar a dor do outro sem querer se apressar a curá-la. É fazer companhia, estar presente.

A mudança no modo como abordamos a dor cria um mundo novo, baseado na soberania e na afinidade, na comoção e na delicadeza. Quando paramos de resistir ao que dói, ficamos livres para realizar mudanças verdadeiras, que nos ajudem a nos alinhar com um mundo onde o sofrimento é reduzido e o amor é o principal remédio.

Esse novo modelo de luto nos permite ter compaixão por nós mesmos e pelos outros. Permite nos unirmos em todas as partes da vida. Invoca a melhor versão de nós mesmos, a mais profunda.

Posso soar poética, mas a verdade é: quem sabe que tipo de mundo poderemos criar quando decidirmos encarar totalmente as nossas muitas dores? O que pode mudar? Que tipo de mundo poderemos criar quando pudermos expressar completamente o que significa amar, que inclui perder o que amamos?

Jamais poderemos mudar a realidade da dor. Mas podemos reduzir muito o sofrimento quando permitimos que o outro fale a verdade, sem colocar uma mordaça em nosso coração. Podemos parar de nos esconder de nós mesmos e dos outros, em uma tentativa equivocada de ficar "em segurança". Podemos parar de esconder o que é ser humano. Podemos criar um mundo em que você diga "Isso magoa" e seja ouvido, sem julgamento ou resposta defensiva. Podemos esvaziar o reservatório de dores que nos mantém presos em relacionamentos rasos e em ciclos de alienação. Podemos parar de tornar o outro "outro" e, em vez disso, proteger e apoiar uns aos outros como uma família.

Não será um mundo com menos luto. Mas será um mundo com muito mais beleza.

> Autocompaixão é nos aproximarmos de nós mesmos, de nossa experiência interior, com amplitude, com permissividade, o que é uma gentileza. Em vez da nossa tendência usual de querer superar alguma coisa, consertá-la, fazer com que ela passe, o caminho da compaixão é totalmente diferente. A compaixão permite.
>
> ROBERT GONZALES, *Reflections on Living Compassion*

O QUE É PESSOAL É GLOBAL; O QUE É GLOBAL É PESSOAL

Quanto mais falamos sobre a realidade do luto, mais fácil ele se torna. Quanto mais pessoas contam como é doloroso, como é difícil estar vivo, amar e perder, melhor essa vida se torna. Até para quem acha que o luto é um problema a ser solucionado.

Nossos amigos, nossas famílias, nossos livros, nossas reações culturais são mais úteis, mais amorosos e gentis quando ajudam quem está sofrendo a suportar sua realidade; e são menos úteis quando tentam solucionar o que não tem conserto.

O modo como nos encaramos em nosso luto é mais útil, mais amoroso e gentil quando encontramos formas de manter o coração aberto em meio ao pesadelo, sem perder de vista o amor em meio aos destroços.

Para vivermos assim, para passarmos por isso juntos, para ao menos *passarmos por isso*, precisamos começar a nos sentir mais confortáveis com a dor. Precisamos deixar que a dor nos atravesse totalmente, sem procurar motivos ou resultados nem atribuir culpa. Precisamos parar de nos alienar como proteção contra a perda. Precisamos deixar que a compreensão de que a vida é frágil, fugaz e linda seja uma parte real da nossa existência, e não uma história que só acontece com os outros.

Precisamos encontrar maneiras de mostrar nosso luto, respeitando a verdade de nossa experiência. Precisamos estar dispostos a parar de desconsiderar nossa dor para que os outros fiquem à vontade à nossa volta.

É possível fazer muita diferença na vida de quem está sofrendo; é possível mudar muita coisa. Podemos amar uns aos outros sabendo plenamente que o que amamos vai morrer. Podemos amar uns aos outros sabendo que sentir a dor do outro é um sinal de nossa conexão, e não de nossa perdição. É aterrorizante amar outra pessoa desse jeito, mas é como precisa acontecer. Nossa vida pessoal e nossas vidas coletivas, globais, interconectadas, nos convocam a amar assim. O meio-termo do luto, o novo modelo do luto, nos permite amar uns aos outros desse modo. É o único caminho a seguir.

VOLTANDO A VOCÊ...

Estamos criando um novo modelo do luto, neste momento, com essas palavras. Sei que você não pretendia fazer parte da revolução. Sei que você abriria mão de tudo isso, de boa vontade, só para ter de volta sua antiga vida. Não é uma troca justa. E precisamos de você. Precisamos que você reivindique seu direito de receber apoio de maneiras que respeitem quem você é, quem você era e quem essa perda fará com que você se torne. Encontrar seu meio-termo vai ajudar você e ajudar todos que entrarem no mundo do luto depois.

As discussões sobre a cultura do luto são importantes. Ajudam a nos localizar no vasto analfabetismo emocional cultural. Ajudam a perceber que não estamos loucos, não estamos errados e não somos defeituosos. A cultura é defeituosa, mas você? Você está bem. O sofrimento não altera isso.

Continuar presente, continuar buscando apoio em sua dor quando o mundo inteiro tenta lhe dizer que você tem um problema, é um ato de enorme amor-próprio e tenacidade. O luto não é sinal de que você não está bem ou não evoluiu. É sinal de que o amor fez parte da sua vida e que você quer continuar amando, mesmo agora.

Você está aqui agora, e o aqui é terrível.

Não existem muitas ferramentas para o início do luto, mas há algumas. Existem maneiras de nos encararmos com gentileza, de avançar a partir do que já sabemos para nos ajudar a sobreviver.

Minha esperança é que as ferramentas e as práticas neste livro ajudem você a mapear sua terceira via, encontrar seu ponto intermediário, nem como alguém condenado nem forçado a uma positividade falsa que lhe pede para abandonar seu coração.

Não pretendo que este livro acabe com a sua dor. Ao dizer a verdade sobre o luto, quero que você veja sua dor reconhecida. Quero que você sinta, na leitura, que alguém escutou.

Como escreve a poeta e ativista Joanna Macy, o fato de seu mundo estar sofrendo não é motivo para dar as costas a ele. A próxima parte deste livro deixa de lado a cultura mais ampla e retorna ao seu luto pessoal. Que as palavras encontradas aqui ajudem você a permanecer fiel ao seu coração e a abrir seu caminho na selva.

SEGUNDA PARTE

O QUE FAZER COM SEU LUTO

SOBRE A NOÇÃO DE TEMPO: UMA OBSERVAÇÃO ANTES DE COMEÇARMOS

Devorei livros sobre luto e perda logo que Matt morreu. Odiei a maioria deles. Olhava a contracapa de um livro novo para ver se o autor viúvo tinha se casado de novo. Se tivesse, eu não lia o livro; obviamente, ele não me entendia. Ficava empolgada lendo os primeiros capítulos e acabava jogando-o longe, com desgosto, quando o autor começava a falar sobre reconstruir a vida e todas as coisas ótimas que eu poderia fazer ao me recuperar da perda.

O problema nem sempre estava nos livros. Existem muitos livros bons por aí. O problema era que a maioria se dirigia ao luto posterior. Falava sobre um período em que o mundo já tinha parado de oscilar tão violentamente, quando toda a poeira já havia assentado e a proximidade do luto não era tão aguda. Esse é um período ótimo para mencionar a reconstrução – ou a construção – de uma vida nova. Mas e quando tudo acabou de explodir? Não é hora de ler sobre como criar um futuro fantástico e glorioso.

Há algo importante na noção de tempo: as noções de como conviver com esse luto precisam combinar com o que você está vivendo no momento. Se alguma coisa (até mesmo neste livro) parece ofensiva, provavelmente não está se encaixando em sua situação atual: há uma incompatibilidade de momento. A sobrevivência nos primeiros dias é diferente da sobrevivência nas semanas, nos meses e anos seguintes. Enquanto procura como sobreviver à perda, você pode se perguntar de que mais precisa e procurar os recursos que se alinhem com essa situação específica.

O que delineei neste livro não trata de curar o seu luto nem do futuro que o espera. Desejo ajudar você a sobreviver aqui e agora. Espero que você encontre alguma coisa útil nestas palavras.

6

VIVENDO A REALIDADE DA PERDA

O único modo que conheço para começar a falar sobre a realidade do luto é com aniquilação: no início do luto há um silêncio, uma imobilidade que permeia tudo. A perda nos atordoa e nos coloca em um ponto além de qualquer linguagem. Não importa o cuidado com que eu escolha as palavras, não consigo alcançar esse ponto dentro de você. A linguagem é uma cobertura para essa imobilidade aniquilada, e é uma cobertura muito pobre.

Mas palavras são tudo que temos, pelo menos tudo que eu tenho para alcançar você neste ponto. Por favor, entenda que sei como isso é impossível, que nenhuma das minhas palavras vai mudar nada.

Esse reconhecimento é uma das poucas coisas que ajudam. O que você está vivendo não pode ser consertado. Não pode ser melhorado. Não existem soluções. Isso significa que nosso curso de ação dentro do luto é simples: ajudar você a avaliar o que é "normal" e encontrar maneiras de apoiar seu coração arrasado. Esta parte do livro se destina a ajudar você a sobreviver ao território bizarro do luto intenso.

Dar nome à loucura desse período é algo poderoso: ajuda a saber o que é normal quando nada *parece* normal.

Nas curtas seções deste capítulo abordamos algumas das perguntas, das preocupações e dos desafios mais comuns no luto. É uma espécie de colcha de retalhos, pulando de uma esquisitice para outra, mas fazendo malabarismo dentro do luto: sua realidade está em frangalhos. Se existe uma ferramenta para ajudar a administrar a loucura, eu a incluí aqui. Se não existe, o melhor remédio é o reconhecimento.

Não abordei todos os desafios do luto nem todas as questões sobre o que é normal; seria coisa de mais.

> "Você diria: por que as pessoas precisam guardar cinzas? Não podem simplesmente desapegar? Sim. Sim, querido. Com o tempo, vou levar esses ossos, esses dentes e esse corpo que eu amo até o rio e a floresta. Vou esvaziar esse vaso que eu amei tanto, de tantas maneiras. Mas neste momento seus restos permanecem muito bem lacrados dentro de uma urna de plástico guardada dentro de um saco plástico dentro de uma caixa de papelão lacrada com fita adesiva e uma etiqueta com o seu nome. Pegar essas cinzas é ver você, ver o corpo que eu amei, reduzido a um estado permanente. Neste momento, não consigo desapegar. Não consigo absorver. Não consigo aceitar de jeito nenhum. Não consigo engolir essa verdade de que você se foi, de que a vida que nós planejamos acabou. Se tento encarar esse fato (e me recuso a acreditar que seja um fato), sinto a explosão começar dentro de mim, o mundo se rachar e meus pulmões se encherem, e não consigo respirar. Só sei que não consigo. Não consigo encarar isso. Tudo dentro de mim vai explodir e não suporto a dilaceração. É grande demais. É séria demais. Estou sendo espancada por tudo isso: fazer as malas e a mudança, sua picape, que será vendida nos próximos dois dias, na frente de casa, a cama desmontada no meu quarto, esperando para ser reconstruída,

suas fotos, suas cinzas, as pessoas clamando
por pedaços de você, todas as suas coisas
empilhadas em vários cômodos. Você se foi
e eu não posso me lembrar disso agora. Que
você estava aqui, naquele momento, apenas um
momento comum, e então se foi."

Dos meus primeiros diários.

APESAR DE TUDO QUE VOCÊ PRECISOU FAZER...

É espantosa a quantidade de coisas que você precisa fazer quando alguém morre. De algum modo, as coisas são feitas. Você se senta com seus filhos, seu companheiro ou seus pais e pronuncia palavras que jamais imaginou pronunciar. Liga para todo mundo da lista de contatos; recita os fatos repetidamente, simplesmente, de modo direto. Fala com repórteres, médicos e equipes de busca. Procura o melhor preço para a cremação ou o enterro. Liga para o senhorio, organiza memoriais, arruma alguém para tomar conta do cachorro. Elogios fúnebres são escritos, orações são sussurradas.

Não existe no mundo papel suficiente para escrever todos os detalhes que a morte de alguém traz para a nossa vida. De novo, retorno ao reconhecimento como o único remédio que alivia parte do fardo. Para algumas pessoas, cuidar dessas minúcias é o último ato tangível e íntimo de amor que podem fazer pela pessoa que morreu. Não existe resposta certa. Delegue o que parece desnorteante. E, sempre que possível, não permita que assumam os atos de intimidade que parecem importantes para você.

"Tudo acabou.
Provavelmente foi minha mãe quem atendeu ao
telefone. Ela deve ter gritado ao ouvir a notícia.
Meu pai deve ter vindo correndo de outro
cômodo e, meu Deus, deve tê-la visto chorando,
e então ela deve ter contado a ele, deve ter
aberto a boca e dito as palavras mesmo sem

entendê-las. Eles estão sofrendo, porque isso dói, mas de algum modo vão pedir à mulher ao telefone que diga onde eu estou. E eles vão querer me proteger, vão ficar angustiados porque não podem, mas de qualquer modo vão querer falar comigo ao telefone, dizer que me amam, que estão entrando no carro e que estão vindo, estão contando ao meu irmão, e todos chegarão em três horas para ficar comigo.

Mais tarde naquela noite, no hospital, quando consegui respirar o suficiente para falar de novo, procurei meu celular e comecei o longo processo de avisar às pessoas que ela havia morrido. Ela era muito popular e amada por uma rede enorme e complexa de amigos. Havia muitos telefonemas a dar, cada um provocando uma nova onda de choque."

ERIC W., viúvo aos 37 anos, escrevendo sobre a morte acidental de sua noiva, Lisa.

CONTANDO A HISTÓRIA

Você pode se pegar contando sem parar a história da sua perda, até mesmo (ou especialmente) para estranhos aleatórios ou para pessoas que você acabou de conhecer. Ou você fica repassando em sua mente os acontecimentos que levaram a essa perda.

Tudo isso é normal. Seres humanos são criaturas que contam histórias; é por isso que existem mitologias, mitos de criação e filmes. Contar e recontar a história dessa perda é como procurar um final alternativo. Uma falha. Um modo de mudar o resultado. Talvez tenhamos deixado passar alguma coisa. Se ao menos pudéssemos entender a história, nada disso estaria acontecendo.

Não importa que isso não seja "lógico". A lógica não significa nada.

Contar a história parece necessário e torturante. *É* necessário e torturante. Falaremos mais sobre isso na seção sobre luto e ansiedade, mas, por enquanto, por favor, saiba que essa é uma atitude que faz parte do luto. A repetição da história é um mecanismo de segurança, um modo pelo qual a mente criativa tenta reorganizar o mundo que foi dissolvido. Contamos a história de novo porque a história *precisa* ser contada: estamos procurando uma forma de dar sentido ao que aconteceu, mesmo que seja impossível.

Se você não consegue contar sua história a outro ser humano, encontre um modo diferente de fazer isso: escreva um diário, pinte, transforme seu luto em uma história em quadrinhos com um roteiro muito sombrio. Ou vá à floresta e conte às árvores. É um alívio imenso ser capaz de contar sua história sem que alguém tente consertá-la. As árvores não vão perguntar "Como você está *de verdade*?" e o vento não se importa se você chorar.

PEQUENAS MINAS TERRESTRES

Quantas vezes as pessoas encorajaram você a tentar se distrair um pouco ou evitaram mencionar o nome de quem morreu para que você não se "lembrasse" do que perdeu? Como se você pudesse esquecer, por um momento que fosse.

Todos precisamos de uma trégua. Você não consegue encarar sua perda o tempo todo; seu organismo simplesmente não suporta. O complicado, ainda mais no início do luto, é que a dor está em toda parte. Não existe nada que não esteja conectado à perda. A busca por uma trégua da dor costuma ser um tiro pela culatra.

Ir ao cinema pode ser uma experiência especialmente cruel: você procura um filme que não seja triste e acaba descobrindo que o personagem principal é viúvo. Ou percebe na metade que você jamais poderá comentar esse filme com sua irmã ou que seu filho jamais vai vê-lo.

Coisas inócuas, cotidianas, se tornam significativas: a primeira vez que você precisa preencher um formulário e marcar a opção "viúva" ou quando perguntam quantos filhos você tem. Quando você chega à seção do formulário onde está escrito "contato de emergência" e percebe que não pode mais colocar o nome da pessoa que ocupou esse lugar durante anos. Arrastar-se até uma festa, achando que precisa sair mais, e ter cada pergunta em qualquer conversa casual apontando apenas para uma resposta: morte.

E isso não acontece só quando você procura uma distração: a vida cotidiana é tão cheia de lembranças e de minas terrestres para o luto que pessoas não enlutadas nunca imaginariam. Quando alguém que você ama morre, você não apenas perde o presente ou o passado. Você perde o futuro que deveria e poderia ter tido com ele. A pessoa está ausente de toda a vida que estava prestes a acontecer. Ver os outros se casando, tendo filhos, viajando... tudo que você esperava fazer com aquela pessoa. Ver outras crianças indo para o jardim de infância, se formando ou se casando... tudo que seu filho deveria ter feito se estivesse vivo. Seus filhos jamais conhecerão o tio brilhante; sua amiga jamais lerá seu livro quando você terminar de escrevê-lo. Qualquer que seja o relacionamento, ver evidências de outros relacionamentos do mesmo tipo se desenrolando com o resto do mundo é brutal, injusto e insuportável.

Nos primeiros dias, o esforço de retornar ao mundo é hercúleo e monumental. É difícil enfrentar essas minas terrestres do luto que se espalham por todos os lugares. Frequentemente a interação humana é exaustiva. Muita gente opta por encolher seu mundo, recusando convites para qualquer coisa. Até os mais extrovertidos descobrem que precisam de mais tempo sozinhos e em silêncio.

Se o mundo lá fora parece duro demais ou saturado demais com todas as coisas relativas ao luto, saiba que você não está sendo "sensível demais". O mundo *é* cheio de coisas conectadas com o seu luto. Se você descobrir como ter um momento de alívio ou trégua, aproveite. Não importa o que seja. Encontrar uma folga no luto é quase impossível, mas essas pausas ocasionais são necessárias. Passar um dia (ou mais) em um refúgio de sua escolha é algo saudável.

LUTO NO SUPERMERCADO

Existe uma tarefa da vida cotidiana que costuma ser estressante a ponto de precisar uma seção exclusiva: o supermercado. No início do luto, uma "simples" ida ao mercado não é nem um pouco simples; você pode encontrar um sem-número de pessoas querendo saber: "Como você está *de verdade*?"

Essas perguntas bem-intencionadas, mas intrusivas, sobre seu estado emocional podem surgir a qualquer momento, não importa quanto você evite falar sobre o assunto.

É curioso: sempre que menciono as dificuldades específicas de ir fazer compras, quase todo mundo tem a própria história para contar. Algumas pessoas só vão depois das 22h, para evitar qualquer conhecido; outras dirigem por uma hora só para fazer compras anonimamente.

Essa é outra coisa em que as pessoas não enlutadas não pensariam: como a sua perda, especialmente se foi inesperada ou incomum, se transforma em um tópico para discussão pública. Sempre que você sai, as pessoas sentem necessidade de se aproximar, perguntar, verificar como você está. Não importa se a pessoa é sua amiga ou não. Na verdade, quanto mais distante o relacionamento, mais sondagens você pode receber enquanto tenta escolher uns legumes.

Parei de comprar em uma loja específica porque a amiga de uma amiga trabalhava lá; se ela me visse, iniciaria um longo e arrastado interrogatório, indagando sobre minha saúde emocional, meus planos para o futuro e detalhes sobre o que aconteceu no rio naquele dia. Sei que eu poderia pedir que ela parasse, mas isso exigiria energia, interesse e habilidades que naquele momento eu não tinha. Era mais fácil comprar em outro local.

Não é de espantar que o luto seja tão exaustivo. Não é *somente* a dor intensa da perda. É a imensa quantidade de coisas minúsculas que precisam ser evitadas, suportadas, planejadas. De fora, é impossível saber, mas quem está de luto entende completamente. Todos temos histórias de exaustão, evasão e da necessidade de apenas não conversar.

Tudo bem evitar pessoas. Tudo bem – é até mesmo saudável – dirigir por uma hora para fazer compras onde ninguém o conhece. Você merece esse distanciamento. Você merece o direito de contar suas histórias quando e onde achar melhor, com um enorme escudo invisível para se proteger ao sair no mundo sem querer falar com ninguém.

O certo é fazer qualquer coisa para sentir essa proteção.

Mais uma coisa sobre o supermercado: muitos enlutados ficam desnorteados com todas as coisas que não precisam mais comprar para quem eles perderam – não há mais necessidade do biscoito predileto ou do chá matinal. Carrinhos de compras abandonados são comuns no mundo dos corações em luto. Afora fazer compras pela internet ou por telefone (uma coisa ótima, por sinal), não há mesmo como se livrar disso. Nesse caso, aplicam-se as regras da gentileza consigo mesmo: estabeleça seu ritmo, permita-se sair da loja quando precisar (não importa quão cheio seu carrinho esteja) e depois se dê algum tempo para respirar e absorver como tudo isso é difícil. As tarefas da vida "normal" costumam destacar sua perda com um contraste tremendamente nítido.

QUANDO É HORA DE...

Como existem tantos conselhos e opiniões não solicitados no mundo do luto, é fácil perder de vista o que você realmente quer. Muitas pessoas me escrevem perguntando quando é a "hora certa" de tirar a aliança de casamento, de converter o quarto do filho em um quarto de hóspedes ou de parar de se referir ao irmão no tempo presente.

A resposta é simples: não existe hora certa.

Você não pode esperar que a hora certa apareça, porque provavelmente nunca aparecerá. Nada disso é algo que você pode *escolher*. Quando você está tentando tomar uma decisão, não pode esperar até que ela pareça *boa*.

Se tirar sua aliança de casamento faz você sentir náuseas, não é a hora certa de tirá-la. Se você começa a entrar em pânico só de pensar em guardar as coisas do quarto do seu filho, não guarde nada. Se alguém lhe disse que é hora de doar as roupas da sua irmã e você caiu no choro, imortalize o armário dela.

Você não precisa mudar nada enquanto não estiver em condições. Às vezes existem estranhas políticas de família a serem enfrentadas, sem dúvida, mas, no geral, o que você faz na sua casa ou no seu corpo é problema seu. Ao tomar grandes decisões – como quando (ou se) voltar a namorar, vender a casa ou trocar de profissão –, o assunto é somente da sua conta. Não existe hora certa. Nada é cedo ou tarde demais.

Nessa mesma linha, é normal deixar as coisas exatamente como a pessoa deixou. A prova de que ela esteve ali, de que ela viveu, de que fez parte de você, é importante. Quando sua vida evaporou, esses lembretes se tornam muito significativos.

Uma amiga cujo marido se afogou um ano depois da morte de Matt me contou que guardou a garrafinha do molho de pimenta dele mesmo depois de mudar de casa duas vezes. Não suportava ver a geladeira sem aquilo, mesmo que jamais fosse abri-la. Eu guardei o pote de sorvete que Matt e eu compramos duas noites antes de ele morrer, até me mudar para o outro lado do país quatro anos mais tarde.

Passou-se quase um ano antes de eu trocar os lençóis da cama onde dormimos pela última vez.

Você fará o que for necessário quando precisar fazer. Nem um instante antes. Jamais vai parecer algo *bom*. Mas, se lhe provoca náuseas, não está na hora. Use essa métrica para qualquer decisão que você precisar tomar e para aquelas que você acha que *deveria* tomar.

SOBRE ANIVERSÁRIOS E MEMORIAIS

O que devemos fazer na data da morte dele? Devo comemorar o aniversário de casamento ou o aniversário de nascimento, mesmo quando a pessoa morreu? Elas fazem aniversário depois de mortas?

Minha mãe e minha sogra queriam que eu me empolgasse e me envolvesse em seus projetos para homenagear Matt, uma empolgação que eu não sentia naquela época. Sempre que elas comentavam sobre alguma árvore ou algum jardim, sobre como eu deveria participar, escolher ou comparecer, eu precisava me esforçar para não gritar: "Não quero uma árvore imbecil. Quero Matt de volta!", "Não me importa quais flores vocês vão colocar; o jardim é de vocês, e não dele". Ah, e a quantidade de vezes que precisei segurar a língua e manter a calma quando algum parente distante insistia em um memorial hiper-religioso que faria até mesmo Matt perder as estribeiras?

No fim das contas, claro, ninguém saía vencedor. Não importava o que fosse planejado ou quem se reunisse em nome dele, meu amado continuava morto. Ele não voltaria.

Não existe um jeito certo de homenagear alguém que você ama. Cada relacionamento deixa sua marca; cada marca é somente sua. O seu modo de homenagear a vida é certo *somente* para você.

Uma das melhores coisas que alguém me disse quando a data de um ano da morte de Matt estava se aproximando foi: "Você tem o direito de ir embora, mesmo se tiver acabado de chegar à cerimônia, mesmo que tenha planejado a coisa toda. Ninguém está passando pela mesma experiência que você. Saia quando quiser." O simples fato de ter essa permissão tornou mais fácil permanecer.

Não importa o que tenha planejado, você pode mudar de ideia a qualquer momento. Também não tem problema não planejar nada e, em vez disso, esperar para ver como você se sente quando essa data especial estiver chegando. A aproximação da grande data costuma ser mais difícil do que a data em si. Talvez você queira fazer alguma coisa, talvez não.

Você pode perguntar a familiares e amigos como eles gostariam de planejar esse dia. Encorajar a conversa, deixar espaço para a relutância e a recusa, é um jeito elegante de avaliar como as pessoas na sua vida se sentem com relação a essas datas. Para sua família próxima (ou, para ser direta, o que sobrou dela), inclua nos planos do dia elementos das ideias de cada pessoa.

Ainda que outros possam se juntar a você no planejamento, lembre-se de que eles também terão suas maneiras de se expressar. Eles têm o direito de recusar, de se afastar, de não participar. Cada pessoa sente o luto de forma diferente e tem um jeito diferente de homenagear quem se foi. Dentro do possível, respeite os outros modos de fazer isso, ao mesmo tempo que respeita suas necessidades.

Lembre-se de que provavelmente ninguém ficará 100% feliz. Na verdade, eventos memoriais e de aniversário costumam ser delicados: os temperamentos explodem, antigas questões voltam à tona, as gentilezas desaparecem. Independentemente do que você opte por fazer ou não fazer, esforce-se para estabelecer seu ritmo. Confira sempre, no seu coração, do que está precisando a qualquer momento. Nada disso é fácil, mesmo se o que você planejou correr maravilhosamente bem.

CRIANÇAS E LUTO

Talvez você não possa pensar apenas em si mesmo. Não importa a idade, seus filhos serão afetados pelo luto, quer a perda seja diretamente deles, quer estejam vivendo com os efeitos que o luto exerce sobre você.

Meu enteado completou 18 anos um dia depois da morte do pai. Não era supernovo, mas em muitos sentidos ainda era uma criança. Naquele dia, o mundo passou a vê-lo como adulto. Ele passou a ter que tomar decisões que nenhuma criança deveria tomar.

Ele sempre fora bastante discreto ao demonstrar sentimentos e seu luto não foi exceção. Nas semanas e nos meses seguintes, nós *rodeamos* o assunto do que havia acontecido. Falamos sobre as particularidades do luto e sobre como pessoas diferentes o processam de modo diferente. Sua tendência a ser mais tímido, além da questão natural da adolescência, implicou que ele não falasse muito sobre o pai. Falava menos ainda sobre si mesmo.

Como meu enteado era mais velho e já se virava sozinho pouco depois da morte de Matt, não tive as mesmas preocupações que muitos dos pais enfrentaram durante o luto. Não fiquei de coração partido ao ver uma criança pequena crescer sem lembranças físicas. Não precisei pensar em como as outras crianças tratariam meu enteado na escola ou em como os professores abordariam a perda dele. Fico preocupada em pensar nele seguindo a vida sem a orientação do pai, mas sei que teve dezoito anos para absorver a presença e a influência de Matt. Só posso esperar que o amor do pai o inspire, o sustente, o ajude, mesmo agora.

Um dia desses alguém me perguntou se eu achava que meu enteado tinha "processado" a morte do pai ou se ela continuava a afetá-lo. Como pode não afetá-lo? O pai dele continua morto.

Acho que sempre procuramos provas de que nossos filhos estão bem. A maior parte de qualquer processo emocional acontece do lado de dentro. Uma perda assim cresce e se altera dentro do coração dos nossos filhos, mudando não somente com a passagem do tempo, mas também com a capacidade mutável deles de absorver e reagir à morte do pai, da mãe ou de um irmão.

Acredito que tudo que podemos fazer, tudo que qualquer um de nós é capaz de fazer, é continuar aberto à dor, ao luto e ao amor da maneira adequada a cada idade. Podemos deixar nossos filhos saberem que podem perguntar qualquer coisa. Podemos deixar que vejam nossa tristeza de um modo que diz: "Isso dói, e tudo bem se sentir assim." Podemos perguntar, sabendo que eles talvez não queiram ou não consigam verbalizar o que sentem.

Às vezes demora uma vida inteira até sermos capazes de expressar o que perdemos, ver as muitas maneiras pelas quais a morte de alguém da família nos moldou e modificou. Espero, pelo meu filho e pelos seus, que nosso amor os acompanhe. Que o amor da pessoa que eles perderam os acompanhe. Que eles aprendam a tolerar a própria dor, a abrir o coração e a ouvir a própria voz. Mesmo que jamais nos digam nada.

POR FALAR EM FAMÍLIA...

Às vezes uma família se une e coopera depois de uma morte ou um acontecimento trágico. Isso é a exceção, e não a regra. Nada é capaz de trazer à tona a loucura em uma família como a morte.

As discussões sobre o que será feito com o corpo (especialmente se não houver documento legal estabelecendo o desejo da pessoa), se deve haver um memorial permanente ou não, como planejar os eventos de aniversário... No mundo ideal, essas coisas deveriam ser negociadas com delicadeza, compaixão e compreensão. Mas o mundo ideal é só ideal.

A morte enfia uma barra de ferro na engrenagem da família. Relacionamentos complicados que tinham encontrado um nível de tolerância mútua relativamente feliz explodem em brigas violentas. Opiniões e necessidades disputam espaço; todo mundo precisa ser visto e ouvido. Velhos conflitos são trazidos à tona. Parentes que eram distantes em vida surgem do nada; pessoas que você imaginava que iam servir de apoio desaparecem no próprio silêncio ferido.

A morte abala todo mundo.

Pela minha experiência, e pelas histórias que ouvi, parece que qualquer tipo de personalidade se intensifica após a morte de um ente querido. As pessoas que costumam ser calmas e racionais permanecem calmas e racionais. As que procuram ser inclusivas, conversando com compaixão e paciência, geralmente continuam assim. E as que discutem, culpam e agem com agressividade... fazem isso.

Muitos conflitos familiares podem surgir nessas situações; não posso abordar todos. Em vez de propor uma solução para cada hipótese, talvez seja mais eficaz indicar um modo de reagir a todas elas. Em todos os desafios interpessoais, relacionados à morte ou não, meu conselho é se comportar de modo que no futuro você possa olhar para trás, refletir sobre a experiência e sentir que usou habilidades de negociação, compaixão e autodefesa boas e saudáveis. Na verdade, a forma como você se comporta sob esse tipo de estresse é a única coisa que está sob seu controle.

■ ■ ■

Se você se pegou discutindo sobre quem fica com quê, por favor, seja gentil com o coração dos outros tal como com o seu. Essa é uma situação sem vencedores. Não importa quem ganhe a batalha sobre os memoriais ou as posses, a pessoa que você ama continua morta.

É um bom momento para se perguntar quais dessas batalhas vale a pena lutar e focar sua energia nelas. Não é necessário nem útil travar cada batalha ou reagir a cada desafio. Às vezes o mais sensato é ignorar o mau comportamento ou as exigências rabugentas. Faça o máximo para manter limites saudáveis, verbalizar suas necessidades e se afastar das brigas. Se alguma coisa é importante para você, defenda-se e defenda sua família, e lembre-se de que, não importa o resultado, seu amor e sua conexão com a pessoa que perdeu jamais poderão ser tomados de você.

O LUTO ACABOU COM SUAS AMIZADES?

Normalmente, ao lidar com uma dinâmica familiar difícil, meu conselho seria contar com amigos equilibrados e confiáveis para relembrar como pessoas saudáveis interagem quando a vida voltar aos eixos. Minha esperança é que você tenha pelo menos algumas dessas pessoas maravilhosas em sua vida.

Um dos aspectos mais cruéis de uma grande perda é este: no momento em que você mais precisa de amor e apoio, alguns amigos se comportam de modo horrível ou desaparecem. Você se decepciona e discute. Antigos ressentimentos voltam à superfície. Pequenas rachaduras se transformam em abismos intransponíveis. As pessoas dizem as coisas mais estranhas, mais sem noção e bizarras.

O luto muda suas amizades. Pode até mesmo acabar com elas. Falaremos mais sobre isso na terceira parte deste livro, mas por enquanto eu seria negligente se não mencionasse como esse aspecto do luto é comum e doloroso. A perda acaba relembrando lutos frequentemente escondidos ou especialmente dolorosos das pessoas ao redor. Sua dor se choca com a dor delas. Podemos não falar disso diretamente, mas muitas vezes é o que acontece quando os outros são cruéis ou não entendem a dimensão da nossa perda. E, mesmo quando os amigos querem dar apoio, não temos a habilidade – não importa quão habilidosos na verdade sejamos – de testemunhar e suportar a dor do outro. A impotência diante da perda leva as pessoas a fazerem coisas estranhas.

Não interessa quais sejam as verdadeiras razões, perder amigos que você achava que ficariam do seu lado para o que desse e viesse é um sofrimento a mais. A injustiça dessa segunda perda torna o luto muito mais difícil.

A ÚNICA COISA DA QUAL AS PESSOAS NÃO GOSTAM DE FALAR: A RAIVA

Não posso terminar este capítulo sem falar da raiva. Existem milhares de assuntos a serem discutidos aqui, mas simplesmente não há espaço.

Mas e a raiva? Ela merece um lugar aqui. A realidade da raiva jamais recebe um espaço positivo na nossa cultura. Você não deveria sentir raiva. Não importa o que tenha acontecido, demonstrar raiva é... impróprio. Como o luto, a raiva é recebida com um desconforto profundo: tudo bem se vier em pequenas doses, mas precisa ser superada rapidamente, sem muito alarde.

Esse boicote à raiva é ridículo.

Toda emoção é uma reação a *alguma coisa*. A raiva é uma reação ao sentimento de injustiça. Claro que você está com raiva: o que aconteceu é injusto. Não importa se a "justiça" é lógica ou se há um motivo para o acontecimento.

Contrariamente à psicologia popular e ao modelo médico, a raiva é saudável, normal e necessária. Como acontece com a maioria das coisas, se não for reconhecida e apoiada, a raiva se internaliza e pode se tornar venenosa. As coisas às quais não damos ouvidos (ou às quais nos recusamos a dar ouvidos) não passam, apenas encontram outros modos de falar. A raiva silenciada se junta a um reservatório de emoções abafadas, chega à tona sob a forma de problemas de saúde, problemas de relacionamento e angústia mental. Essas imagens negativas que temos sobre a raiva decorrem, na verdade, da raiva que não temos permissão de sentir: a repressão cria pressão, que cria comportamentos tóxicos baseados no que era uma reação saudável à injustiça.

A raiva, quando expressada, é simplesmente energia. É uma reação. Ao ser vivenciada, ela se torna um amor feroz e protetor – por você, pela pessoa que você perdeu –, e, em alguns casos, até lhe dá energia para enfrentar o que é necessário. Quando é respeitada e tem espaço para se exprimir, a raiva conta uma história de amor, conexão e saudade do que foi perdido. Não há nada de errado nela.

Tudo isso para dizer que a raiva que cerca a sua perda é bem-vinda. É saudável. Não é uma coisa que precisa ser superada rapidamente para que você se torne mais "evoluído" ou aceitável para as pessoas ao redor. Encontre maneiras de dar voz ao seu senso de injustiça e à sua raiva. Quando você disser que está com raiva sem que alguém tente amenizá-la ou fazer você esquecê-la, ela não precisa se virar contra si mesma.

Entrar em contato com a raiva pode ser apavorante. Se ela parecer grande demais, apoie-se em um amigo de confiança ou em um terapeuta. Ter um aliado nesse momento é realmente útil. Tudo bem perguntar às pessoas como elas se sentem ouvindo sobre sua raiva; isso permite que elas estejam preparadas para escutar honestamente e propicia que você saiba se elas aguentam a verdade, sem tentar fazer sua raiva passar antes que ela seja expressa.

E TODO O RESTO?

Este capítulo pretende lhe dar um senso de normalidade em um momento completamente anormal. Não tenho como abordar tudo, mas, no fim das contas, a verdade é que qualquer coisa que você esteja enfrentando em seu luto é... normal. Reconhecer a sua realidade é um remédio poderoso. Frequentemente é a única coisa que ajuda.

Os próximos capítulos falam em mais detalhes sobre desafios específicos do luto e sobre onde encontrar ferramentas concretas para ajudar a administrar o que jamais poderá ser consertado.[1]

7

NÃO SE PODE SOLUCIONAR O LUTO, MAS NÃO É PRECISO SOFRER

Vivendo de luto, você sabe que não há nada a ser consertado: isso não tem solução. Embora muitos métodos de auxílio ao luto (e amigos e familiares bem-intencionados) encorajem você a superar a dor, essa é uma abordagem errada.

O modo de viver de luto não é sumindo com a dor, e sim fazendo o possível para reduzir o sofrimento. Saber a diferença entre dor e sofrimento pode ajudar você a entender o que *pode* ser mudado e o que simplesmente precisa do seu amor e da sua atenção.

Permitir-se cuidar do próprio luto, sem sentir que precisa consertá-lo ou esquecê-lo, torna mais fácil suportá-lo. Reduzir o sofrimento e ao mesmo tempo respeitar e apoiar a dor é o cerne deste livro e o foco deste capítulo.

> "A palavra de ordem é esta: Depressa! Ela está
> sofrendo! Vamos convencê-la a superar. Vamos
> dizer que um dia as coisas vão melhorar. Vamos
> lembrá-la de ser grata pelo que teve. Vamos
> dizer como ela é inteligente, divertida e gentil.
> E vamos garantir que ela entenda, porque
> sabemos que isso está acabando com ela, que

um dia ela vai ter outra pessoa ao seu lado, acordando para lhe dar um beijo e desejar bom-dia, rolando de volta para dormir mais cinco minutos enquanto ela se levanta para passear com o cachorro. Fantástico. Vamos lá. Muito obrigada pelas palavras gentis. Você realmente aliviou meu sofrimento com toda essa tentativa de me convencer a superar.

As pessoas que eu amo, as que eu sempre procuro, são aquelas que não tentam de modo nenhum 'resolver' as coisas, ou consertar as coisas, ou me consertar. Elas não tentam me animar nem me constranger a ser grata por ter tido o amor que tive e a ficar feliz com isso. Elas não me dizem que tudo vai melhorar 'depois' e que eu tenho muitos motivos para viver. Não me lembram que eu faço parte do ciclo da vida. Como se isso importasse, toda essa baboseira, essa bosta condescendente."

Excerto de "Ask, Don't Tell: How to Help Someone in Grief", do site refugeingrief.com.

O QUE EU FAÇO AGORA?

As primeiras semanas e meses depois de uma morte inesperada parecem um mundo novo. Nesse momento inicial de impacto, poucas coisas trazem conforto. O que costumava ser reconfortante se torna débil sob o peso desse tipo de luto. Palavras que pretendem oferecer apoio apenas machucam. Encorajamentos não ajudam. Banalidades nunca ajudam.

A sobrevivência no início do luto tem uma circunferência muito pequena. Não é um período comum e as regras comuns não se aplicam. No luto, especialmente no começo, você tem pouca energia para usar qualquer "ferramenta". E as ferramentas usadas para *melhorar* as coisas costumam parecer mais ofensivas do que úteis.

Banalidades, autoajuda, conselhos bem-intencionados e sugestões... *tudo* isso é para fazer você superar a dor. Sempre que falamos sobre quão angustiados estamos, alguém se oferece para ajudar a fazer passar. Nesse modelo, a dor é uma coisa ruim e deve ser superada. Mas sua dor é válida. Ela não vai simplesmente passar.

Em seu livro *O corpo guarda as marcas*, Bessel van der Kolk escreve que o corpo precisa se expressar quando é exposto a estímulos. Ele *precisa* fazer isso. Quando o corpo e a mente experimentam dor, temos uma necessidade biológica de expressá-la. A dor que é silenciada ou abafada se vira contra si mesma e cria mais problemas.

A dor que não é reconhecida ou ouvida não passa. Um dos motivos para a nossa cultura ser tão ruim em abordar o luto é que tentamos apagar a dor antes que ela possa se expressar. Temos um reservatório emocional em nosso coração.

Você não pode curar a dor de alguém tentando apagá-la. Não pode encobrir a dor como se ela estivesse atrapalhando o caminho para alguma vida "melhor". O fato de o luto ser doloroso não o torna errado. A dor é uma reação normal e saudável à perda. O modo de sobreviver à perda é permitindo que a dor exista, e não tentando encobri-la ou superando-a rapidamente.

Em vez de apagar a dor, podemos cuidar dela como se fosse saudável e normal, algo que precisa de nossa honestidade e de nosso cuidado gentil e compassivo. Podemos, em vez disso, nos tornar companheiros da dor. Apenas cuidando dela podemos suportar o insuportável.

DOR *VS.* SOFRIMENTO: UMA É CUIDADA; O OUTRO É "CONSERTADO"

E é aqui que vamos contra nossa necessidade de consertar as coisas, nossa necessidade de assumir uma atitude positiva para nosso próprio bem. Se não "consertarmos" a dor, se não solucionarmos o luto, estaremos apenas condenados a uma tortura infinita?

Para nossos propósitos aqui, é útil separar dor de sofrimento. A dor é pura e precisa de apoio, e não de soluções, mas o sofrimento é diferente.

O sofrimento *pode* ser consertado, ou pelo menos significativamente reduzido. Para diferenciar os dois, precisamos definir alguns termos.

Existem ensinamentos sobre o sofrimento em muitas tradições, tanto seculares quanto religiosas. Para mim, nenhuma discussão sobre a dor e o sofrimento pode acontecer sem pelo menos uma pequena alusão ao budismo e sua filosofia.

Quando Buda ensinava que "a vida é sofrimento e o modo de escapar do sofrimento é abraçar a impermanência", ele não estava dizendo: "Por favor, finja que não está vendo o sofrimento; por favor, finja que não está sentindo dor." Ele não estava dizendo: "Se você abrir mão de seus apegos, nada vai doer." Ele via o sofrimento. Via a dor. Queria encontrar um modo de estar presente e reagir a eles. Reagir sem se encolher. Sem dar as costas ao abismo de dor presente no mundo.

Buda enxergava a dor. Ele perguntava: "O que posso fazer para não perder a mente e o coração aqui? Como posso manter os olhos e o coração abertos sem ser consumido por isso? Como posso encarar firmemente aquilo que não pode ser consertado?"

A resposta dele, pelo menos no meu entendimento, era o amor. Ame de mãos abertas, de coração aberto, sabendo que tudo que lhe é oferecido vai morrer. Vai mudar. Ame assim mesmo. Você testemunhará dores incríveis nesta vida. Ame assim mesmo. Encontre um modo de viver com esse conhecimento. Inclua esse conhecimento. Ame através dele. Disponha-se a não dar as costas à dor deste mundo, a dor em você e nos outros.

As práticas e as ferramentas que temos do Budismo e de outras tradições se destinam a nos ajudar a suportar a dor da vida, a manter os olhos na ferida sem ser consumidos por ela. Elas não se destinam, como a psicologia popular pode nos ter feito crer, a acabar com toda a dor para que você possa permanecer "feliz".

Elas se destinam a reduzir o sofrimento diante da dor, e não a acabar com a dor.

Sofrimento e dor não são a mesma coisa. E essa distinção é o início da verdadeira cura e do apoio durante seu luto.

■ ■ ■

Como eu disse, a dor é uma reação saudável e normal quando alguém que você ama é arrancado da sua vida. Dói, mas isso não significa que seja *errado*.

O sofrimento vem quando nos sentimos ignorados ou abandonados na dor e quando nos debatemos nessa dor, questionando nossas escolhas, nossa "normalidade", nossos atos e reações.

O sofrimento vem quando dizem para você não sentir o que sente. O sofrimento vem quando dizem que há alguma coisa errada com o que você sente. O sofrimento vem com toda a baboseira que amigos, conhecidos e estranhos aleatórios nos recomendam, com as melhores intenções, nos corrigindo, nos julgando ou dando conselhos sobre como vivenciar o luto de um modo melhor. O sofrimento também vem quando não comemos, não dormimos o suficiente, passamos tempo demais com pessoas tóxicas ou fingimos que não estamos sentindo tanta dor quanto sentimos. O sofrimento vem quando repassamos os acontecimentos que levaram a essa morte ou a essa perda, punindo-nos por não impedi-la, por não termos sido mais espertos, não termos feito mais. O sofrimento traz ansiedade, medo e isolamento.

Se quisermos melhorar essa situação, é o seu *sofrimento* que precisamos mudar.

O GRANDE EXPERIMENTO DO LUTO

Depois que fazemos a distinção entre dor e sofrimento, ainda precisamos responder às perguntas sobre o que vamos *fazer* com relação a tudo isso. A resposta ampla é simples: a dor é apoiada; o sofrimento é ajustado. Não existe um modo único de fazer essas duas coisas. Seu luto é tão individual quanto seu amor. Seu caminho para atravessá-lo será descoberto por você, de maneiras que pertencem apenas à sua mente, ao seu coração e à sua vida.

É útil pensar nisso não como algo que você pode fazer de um jeito certo ou errado, e sim como um experimento contínuo. Não importa quantas vezes a dor ou o luto tenham entrado na sua vida, esta vez é a primeira. Este luto é diferente de qualquer outro. Cada nova experiência precisa se desdobrar, e ser cuidada, das maneiras mais adequadas à dor.

Você precisará descobrir quais são essas melhores maneiras para poder suportar sua perda. Precisará identificar o que é dor, e portanto precisa de apoio, e o que é sofrimento, e portanto pode ser mudado. Precisará se fazer perguntas e experimentar.

ISSO NÃO É UM TESTE

Podem lhe dizer que o que aconteceu é um teste, seja para sua fé, sua profissão ou sua estabilidade emocional. Acho que isso é uma armadilha. Um "teste" implica que o universo é cruel, que você foi lançado em uma impossibilidade e está sendo observado para ver se encontra uma saída. Está sendo observado para ver o tamanho de sua dor e como você lida com ela. Está sendo observado para ver como enfrenta seu sofrimento. Está sendo observado para ver se consegue acertar.

Isso não é um teste.

Seu luto não é um teste *de* amor; é um experimento *no* amor. Há uma diferença gigantesca entre as duas coisas. Investigar sua fé, seu relacionamento consigo mesmo, com esta vida, com o luto, com a dor, com o amor, com o sofrimento... tudo isso é um experimento. Não é um teste. Você não pode fracassar. Você não fracassou.

O objetivo de qualquer prática, tal como o objetivo desse experimento, é se tornar o receptáculo mais forte e mais íntegro possível para suportar a realidade, para viver esta vida como lhe é oferecida. Quer estejamos falando de dor ou de sofrimento, a orientação básica é a mesma: permita-se experimentar, descobrir o que ajuda, descobrir o que torna as coisas só um pouquinho mais fáceis. Não porque isso vai fazer com que tudo fique bem, mas porque agir desse modo suaviza as coisas para você.

Não existe um modo correto de vivenciar essa situação. Outros vieram antes de você e outros virão depois, mas ninguém carrega o luto, ou o amor, do mesmo modo. O luto é tão individual quanto o amor. Não há nada a fazer *a não ser* experimentar.

É um trabalho contínuo.

COLETANDO DADOS

Fazer experimentos durante o luto significa procurar coisas que tragam ao menos um pouco de alívio ou paz para seu coração ou sua vida. Estamos falando de distinções microscópicas: o que lhe dá força, coragem ou capacidade de enfrentar o próximo minuto, os próximos cinco minutos? Escrever sobre sua dor faz você se sentir melhor ou pior? Você tem mais condições de dormir à noite se fizer uma caminhada ou não?

Honestamente, pensando no meu próprio luto, fazer experimentos naqueles primeiros dias não foi uma escolha consciente. Mas pensar no luto *como* um experimento me ajudou. Permitiu que eu soubesse que não havia um modo certo ou errado, nem mesmo para mim, nem mesmo dentro de mim.

Uma das primeiras coisas que você pode fazer é começar a prestar atenção em mudanças sutis no modo como se sente. Há ocasiões em que as lágrimas brotam em momentos inoportunos, há ocasiões em que o grito dentro de você não pode ser contido, situações em que manter o controle é uma tarefa totalmente impossível e pensamentos frenéticos ficam repassando os acontecimentos da sua perda. Essas ocasiões em que as barragens se rompem não acontecem do nada; elas vão se acumulando. Os efeitos da dor e do sofrimento são cumulativos.

Mesmo que a gente pense que essas emoções explodem sem aviso, sempre há alguns sinais iniciais. A coleta de dados ajuda a reconhecer esses sinais.

A primeira prática concreta, então, é começar um registro das coisas que você nota. A princípio, esse será um exercício de desconstrução depois do fato. Pegue uma experiência recente em que seu luto o deixou fora de si, olhe para trás, para a semana anterior... Consegue ver sinais de que o fardo estava ficando demasiadamente pesado? Onde estavam os estressores, as coisas que minaram sua capacidade de encontrar descanso ou estabilidade? Quais foram algumas das erupções menores que aconteceram, levando à maior?

Para mim, um sinal inicial era a irritação cada vez maior com seres humanos, animais e objetos. Coisas simples dando errado provocavam um efeito gigantesco: à medida que eu ficava mais atordoada, coisas cada vez menores me incomodavam. Quando me sentia mais estável, eu tinha muito mais facilidade para relevar incômodos.

Usando esse exemplo, a irritação era um sinal de que eu precisava recuar e me afastar dos estressores arbitrários em minha vida. Significava que eu provavelmente precisava de mais sono, mais comida e menos contato com seres humanos. Quanto mais eu percebia esses pequenos indicadores, mais me tornava capaz de cuidar de mim mesma. Eu podia enxergá-los como dicas de que precisava recuar, tornar meu mundo menor e mais focalizado no cuidado em vez de me pressionar.

Se você pensar na sua estabilidade, na sua capacidade de vivenciar este luto como uma conta bancária, cada interação é um saque. Cada estressor é um saque. Reconhecer os sinais de que sua conta está diminuindo é um modo ótimo de impedir, e de aliviar, as crises de choro e a sensação de atordoamento.

Coletar dados também ajuda a fazer pequenas comparações entre melhor e pior: existem ocasiões em que você se sente mais estável, mais pé no chão, mais capaz de respirar? Alguma coisa – uma pessoa, um lugar, uma atividade – aumenta sua conta bancária de energia? Existem atividades ou interações que amenizam só um pouquinho as coisas? O que está acontecendo antes e durante esses momentos? Por outro lado, existem atividades ou ambientes que pioram a situação? Que elementos contribuem para piorar as coisas ainda mais?

Faça uma verificação interior; observe como você se sente em diferentes momentos do dia, em que circunstâncias. Mapeie suas interações sociais, quanto você dormiu, o que está comendo (ou não está comendo) e como passa o tempo. Isso não precisa ser obsessivo; visões gerais podem ser tão úteis quanto detalhes minuciosos.

Se você não sabe direito como começar, pode se fazer perguntas do tipo: "Como me sinto depois de ver essa pessoa? Estou me sentindo apoiado e centrado ou louco e exausto? Existem momentos do dia em que me sinto mais calmo e mais centrado? Existem determinados livros, filmes ou lugares que afastam a tensão da minha mente ao menos por um tempinho?"

Seu registro pode ser algo assim: *Fui ao mercado. Estava lotado. Vi Fulana e Sicrana. Me senti horrível, arrasada. Muitas lembranças naquele lugar. Me senti exposta. Querendo me proteger, me defender. Fui à festa de N., pude ficar na cozinha e ajudar com algumas coisas; me senti bem. Foi bom estar perto de pessoas, mas não com elas. Falei com minha sogra; me senti amparada enquanto conversávamos sobre a logística do serviço memorial. Falar sobre qualquer outra coisa só deu em loucura (observação: evitar falar sobre sentimentos com ela!). Fui à praia hoje cedo. Me senti menos solitária, como se a água pudesse abraçar tudo. Comi cereal açucarado no café da manhã. E no almoço. Me senti um lixo.*

Certifique-se de observar quais coisas lhe trouxeram ao menos um pouquinho de paz de espírito ou de calma. Especialmente no início do luto, nada vai parecer incrível. O peso da dor irremovível é demais. Mas pode haver momentos em que você se sinta mais firme, com menos ansiedade ou capaz de ser mais gentil consigo mesmo. Lembre-se de que estamos querendo reduzir o sofrimento e encontrar meios de cuidar da dor. Se você encontrar *qualquer coisa* que pareça menos ruim (no início do luto) ou, em dado momento, até mesmo um pouquinho boa (independentemente de quando aconteça), preste atenção nisso.

Coletar esses dados ajuda a descobrir sua distinção pessoal entre dor e sofrimento. Lembre-se: o sofrimento é arbitrário. Mapear essas distinções sutis entre o que ajuda e o que não ajuda é mapear o próprio sofrimento: permite saber o que pode ser mudado ou evitado. Permite saber onde você tem realmente algum controle sobre seu luto. Sempre que possível, a opção por evitar essas "coisas que não ajudam" reduz o sofrimento, tornando você mais disponível para cuidar da própria dor.

TENTE ISTO

COLETE DADOS

Durante a próxima semana, mantenha um registro de como você se sente durante o dia, em diferentes circunstâncias, em vários lugares e em várias situações sociais. O que você percebe?

EVIDÊNCIA: O RESULTADO É MAIS IMPORTANTE DO QUE A AÇÃO

Como você sabe quando está indo bem e quando está se afundando ou sofrendo no seu luto?

Como nossa métrica não pode mais ser a ausência da dor, talvez seja difícil descobrir seu bem-estar relativo dentro do luto. Como você sabe quando está emocionalmente estável, uma vez que chora o tempo todo? Como pode saber se a dor que sente é por causa da perda ou porque se prendeu em um ciclo de culpa?

A coleta de dados que você fez no último exercício ajuda a reconhecer seus primeiros sinais de alerta e lhe permite ver com mais clareza o que ajuda e o que não ajuda. Mas no luto intenso pode ser difícil enxergar a diferença entre "estar indo bem" e estar piorando as coisas. Pode ser difícil separar dor de sofrimento.

Nesse caso, é útil observar o resultado de determinadas ações, identificar os sinais do sofrimento e os sinais da calma comparativa.

Ainda que cada luto seja único, existem vários indicadores gerais:

> Evidências de sofrimento: dormir mal, perda de apetite ou apetite excessivo, pesadelos, pensamentos intrusivos, ansiedade, autojulgamento, reatividade emocional (reatividade é diferente de luto ou dor), humor explosivo, sentimento de culpa desproporcional à responsabilidade real, incapacidade de respirar durante uma emoção intensa ou de compartimentalizar a intensidade o suficiente para cuidar de si mesmo, sentir que é vítima da própria dor ou das reações dos outros, sentir que sua dor é grande demais para ser contida ou para sobreviver a ela.

Evidências de calma relativa: estabilidade emocional, gentileza consigo mesmo, sentir-se abraçado ou amparado em sua dor, validação, sentir-se um tanto descansado, comer o suficiente para suprir as necessidades do corpo, sentir aceitação de seu estado emocional (não importa qual seja esse estado), capacidade de reagir à crueldade dos outros com um redirecionamento ou uma correção firme, levar menos as coisas para o nível pessoal, capacidade de compartimentalizar as emoções intensas ou de se retirar de uma situação para cuidar dessa emoção, sentir-se conectado consigo mesmo, com os outros e com quem você perdeu.

OBSERVANDO AS EVIDÊNCIAS

Como parte de seu experimento durante o luto, pode ser útil fazer uma lista como esta: de um lado da página, faça uma lista de sinais de que você está realmente sofrendo. Do outro lado, uma lista de sinais de que você está cuidando bem de si mesmo. O que é evidência de sofrimento para você (por exemplo, não dormir bem, sentir irritação exagerada, etc.)? Que evidência mostra que você está cuidando da sua dor o melhor possível (por exemplo, sentimento de descanso, capacidade de ignorar ou descartar mais facilmente as pequenas irritações, etc.)?

BEM-ESTAR *VS.* MAL-ESTAR

Uma das maiores causas de sofrimento durante o luto é o mal que fazemos a nós mesmos com nossos pensamentos.

(Você acabou de dizer "Nossa, é verdade!"?)

Em outros capítulos falaremos mais sobre desafios mentais específicos, como a ansiedade, os problemas de memória e os pensamentos intrusivos, mas este é um bom momento para abordar o autojulgamento, o escrutínio e a culpa.

Em ocasiões de estresse, sua mente pode ficar voraz e começar a se devorar. Sei que a minha faz isso. Pessoas pensativas, reflexivas, costumam ser muito mais duras consigo mesmas. Nessa situação, uma mente afiada não é necessariamente sua amiga. Em especial diante de uma morte inesperada ou incomum (mas também em muitas outras perdas), nós repassamos os acontecimentos e o papel que representamos neles repetidamente. Processamos tudo: cada nuance, cada palavra, cada escolha. Eu batalhei não somente contra o que aconteceu naquele dia no rio, mas também contra os pensamentos cíclicos irados em que eu entrava todo dia, pensando se estava me saindo bem ou não, se Matt acharia que eu estava me saindo bem ou não e em como era injusto sentir que estava sendo julgada por seu fantasma depois do que eu tinha acabado de passar.

A mente não é um lugar muito feliz.

É verdade o que dizem em muitas tradições espirituais: a mente é a raiz do sofrimento.

Ainda que parte do que sua mente lhe diz seja verdade (e 99,9% não sejam nem um pouco verdade), não há motivo para aumentar seu sofrimento com uma série implacável de pensamentos cruéis e cheios de julgamento. Batalhas imaginárias impossíveis de serem vencidas não servem para nada.

■ ■ ■

Então como você separa os pensamentos inúteis dos úteis? A linguagem é um tanto desajeitada, mas penso nisso como uma prática de discernir entre os pensamentos de bem-estar e os de mal-estar. Os pensamentos de "mal-estar" pegam sua dor e acrescentam mais estresse a ela, aumentando o sofrimento. Você terá o próprio modo de se atormentar mentalmente, mas isso é apenas uma ansiedade criada com relação ao que pode acontecer no futuro ou estresse pelo que aconteceu no passado. O que eu deixei passar? Por que não fiz algo diferente? Como vou viver com isso agora? Eu provoquei tudo isso? Esses são os tipos de pensamento que fecham e isolam você. Não são úteis. Criam sofrimento. Pioram as coisas.

Os pensamentos de "bem-estar" têm o efeito oposto: sua dor ainda existe, mas o sentimento de calma ou tranquilidade aumenta. Os pensamentos de bem-estar são as histórias, as ideias e as imagens interiores que aproximam você de si mesmo. Trazem um minúsculo sentimento de paz ou enraizamento, aumentando sua capacidade de suportar a dor em que se encontra.

BEM-ESTAR *VS.* MAL-ESTAR

Aproveitando um pouco do que você identificou nos dois últimos exercícios, crie uma lista dupla do que faz você se sentir mais equilibrado e do que faz você sentir que está enlouquecendo. Quais são os pensamentos, as ideias ou as imagens que estão no lado relacionado ao mal-estar? Você também pode acrescentar as atividades das listas anteriores: coisas como ficar com determinadas pessoas, passar tempo demais na internet, comer mal. Basicamente qualquer coisa que afaste você do amor, da gentileza consigo mesmo ou faça você sentir que enlouqueceu completamente.

Do outro lado da página, faça uma lista de pensamentos, ideias, imagens e atividades de bem-estar que ajudam você a se sentir estável e calmo. Não vou tentar adivinhar como seria sua lista. Você vai conseguir identificar essas coisas quando as sentir. Você sabe quando está em equilíbrio. Você sabe quando as coisas parecem certas.

Anote essas coisas em um momento de relativa calma ou silêncio; desse modo, quando sua dor ficar grande demais, você terá uma referência sólida para ajudar. Em vez de acumular sofrimento, pode redirecionar os pensamentos para o bem-estar e a gentileza ou escolher ações diferentes em sua lista de coisas que não pioram a situação.

Que coisas aumentam o sofrimento? Que coisas permitem que você suporte sua dor com mais gentileza?

QUE DIFERENÇA FAZ?

Peço-lhe que passe algum tempo coletando dados para identificar os momentos em que seu sofrimento aumenta e aqueles em que seu sofrimento é mais suave e administrável. Diferenciar a dor do sofrimento ajuda a entender a conexão entre determinadas atividades e o impacto delas sobre seu luto. Reconhecer quais pensamentos facilitam e quais dificultam pode ajudar a redirecionar sua mente para longe do sofrimento arbitrário.

Podemos pegar os exercícios anteriores (mapear suas atividades e interações, examinar as evidências de sofrimento e de tranquilidade, e avaliar bem-estar *versus* mal-estar) e criar uma espécie de bússola, o seu guia de sobrevivência. A coach de vida Martha Beck chama isso de encontrar sua Estrela Polar. É um modo de reconhecer nossas evidências de sofrimento e dar a nós mesmos um mapa para reduzir esse sofrimento, em especial quando estamos perdidos na dor a ponto de não saber como nos ajudar.

Como um documento múltiplo, isso pode servir como um modo de reconhecer quando sua dor está ficando forte demais, difícil demais de suportar: as evidências de sofrimento são nítidas. Ele lhe dá um ponto de partida para ideias sobre como se ajudar quando seu sofrimento for demasiado: escolha atividades que ajudaram a induzir um estado de calma relativa. Não está dormindo bem? Seus dados podem mostrar que reduzir o consumo de açúcar e ficar longe do computador tarde da noite ajudam a dormir um pouco melhor. Sente que a raiva e o sentimento de injustiça consomem você? Seus dados podem mostrar que sua raiva justificável aumenta quando você passa tempo com "amigos" que julgam ou desconsideram seu luto. Para aliviar essa angústia, você pode passar um tempo na natureza, longe das pessoas, onde não se sinta julgado. Pode optar por passar mais tempo fazendo coisas que tenham ao menos a mínima chance de induzir mais calma ou paz e ver em que isso resulta.

ISSO É IDIOTICE

Toda essa conversa sobre coletar dados e criar uma bússola pode começar a parecer um exercício ridículo e teórico. E, em alguns sentidos, é exatamente isso. Mas o negócio é o seguinte: você não precisa suportar uma dor assim, você não foi feito para suportar uma dor assim, sem ter absolutamente nenhuma ferramenta e nenhum meio de se ajudar. O único modo de saber o que talvez possa reduzir seu sofrimento é manter certa curiosidade com relação a ele. Mapeando o território.

Nem a melhor lista do mundo vai consertar nada. Eu sei. Lembre-se de que isso é um experimento. Criar uma lista de coisas que ajudam e coisas que pioram lhe dá uma bússola. Dá um ponto de orientação tangível quando o preço da vida e da perda fica alto demais para suportar. Não vai consertar nada. Mas pode ajudar, nem que seja só um pouquinho.

O que estamos tentando aqui, espero, é fazer você encontrar alguma paz interior neste momento. Que seu sofrimento possa ser amenizado. Que você possa cuidar da sua dor, ser gentil consigo mesmo. Que possa focar no problema sem cair no abismo de sofrimento que sempre piora as coisas.

À medida que coleta dados e começa a observar o que piora a situação e o que a torna um pouquinho menos ruim, talvez você comece a identificar padrões. Há ocasiões em que nos sentimos mais calmos e ocasiões em que parece que ficamos completamente desnorteados. Um momento não é mais certo ou mais "evoluído emocionalmente" do que o outro. Um deles apenas faz você se sentir melhor e o outro faz você ficar muito mal. Às vezes escolhemos ficar muito mal porque não temos condições de cuidar de nós mesmos. Isso é totalmente válido. Faça o que conseguir.

Às vezes, quando se tem pouca energia, a única coisa a fazer é se voltar para a direção do bem-estar. A direção de ser gentil consigo mesmo. Não precisa fazer mais do que isso. Só se voltar para lá. Para a direção do bem-estar – isso basta. Isso conta.

8

COMO (E POR QUE) CONTINUAR VIVENDO

Usar ferramentas para reduzir o sofrimento é uma das poucas ações concretas que devemos praticar durante o luto. Mas reduzir o sofrimento ainda deixa você com dor, e essa dor pode ser imensa.

Sobreviver ao luto recente é um esforço gigantesco. Esqueça a ideia de chegar ao fim do dia; às vezes a dor é tão insuportável que o máximo que você pode querer é chegar ao fim dos próximos minutos. Neste capítulo vamos rever as ferramentas para ajudar a suportar a dor, o que fazer quando a dor é demasiada e explorar por que ser gentil consigo mesmo é o remédio mais necessário e mais difícil.

LUTO E TENDÊNCIA SUICIDA: O QUE VOCÊ PRECISA SABER

O luto cobra um preço à sua mente, ao seu corpo, aos seus relacionamentos... a tudo. A ideia de meses e anos intermináveis sem a pessoa amada é avassaladora. A ideia de que todo mundo está seguindo a vida enquanto você continua arrasado é esmagadora. A realidade é grande demais para aceitarmos. Para muitas pessoas, continuar a acordar toda manhã é frustrante: *Merda, ainda estou vivo.* Pensamentos assim fazem todo o sentido.

Sentir que você preferiria não acordar de manhã é normal no luto e não significa que você é suicida. Não querer estar vivo não é o mesmo que querer estar morto. Mas é difícil dizer isso a quem não está de luto, já que, compreensivelmente, as pessoas se preocupam com a sua segurança. E, como as pessoas costumam ficar perturbadas quando falamos que não queremos estar vivos, simplesmente paramos de falar sobre isso. O que é perigoso.

Durante o luto intenso existe uma realidade da qual precisamos falar diretamente. Às vezes você não se importa nem um pouco se vai viver ou morrer. Não porque seja ativamente suicida, e sim porque *não se importa*. No luto, existem momentos em que parece mais fácil apenas ser imprudente, deixar a morte acontecer. É meio como desafiar o universo a escolher você. Às vezes você não está nem aí para a própria "segurança". Eu sei. Todos os encorajamentos dos outros dizendo que há muita coisa pela qual viver, que ainda pode haver coisas boas na sua vida, parecem irrelevantes. E são meio irrelevantes. Você não pode sair das profundezas do luto apenas tentando se animar.

A sobrevivência no início do luto não tem a ver com olhar para o futuro. Não tem a ver com encontrar alguma coisa que o empolgue ou que lhe dê um motivo para viver. Não funciona assim. Como esses encorajamentos banais sobre valorizar a vida são irrelevantes, você vai precisar de outras maneiras de se orientar nessas ocasiões demasiadamente intensas em que o luto ameaça dominar tudo.

Meus momentos mais intensos de sentir que preferia estar morta costumavam acontecer quando eu estava dirigindo na via expressa. O que mantinha minhas mãos no volante nesses momentos em que eu não conseguia me preocupar comigo mesma era saber que não queria criar outra eu. Continuava dirigindo ou parava de dirigir porque não queria correr o risco de fazer mal a outra pessoa. Não queria me arriscar a criar outra viúva. Não queria estragar a vida de outra pessoa nem causar dor a ninguém provocando um acidente com que outros precisariam lidar. Não querer causar mais dor para outras pessoas foi motivação suficiente para eu fazer escolhas mais seguras.

Além disso, fiz um pacto com uma amiga viúva: quando tínhamos aqueles momentos de dor avassaladora, nos agarrávamos à promessa que fizemos uma à outra de permanecermos vivas. De não sermos imprudentes. Não porque o futuro prometia ser muito melhor, mas porque não queríamos causar mais dor uma à outra. Precisávamos uma da outra. Precisávamos saber que uma contava com a outra. Nosso amor e nosso comprometimento nos fizeram superar alguns momentos terríveis.

No luto há uma variação que vai desde simplesmente não querer estar ali até uma séria tentação de parar de estar ali.

Não sentir nenhuma animação com o fato de estar vivo é normal. É importante ter pelo menos uma pessoa com quem você possa falar honestamente desse desinteresse. Dizer a verdade pode reduzir um pouco a pressão. E, não importa quão intensa a sensação fique, ponha a segurança em primeiro lugar. Por favor, continue vivendo. Faça isso por você, se puder. Se for preciso, faça pelos outros.

Por favor, observe: sentir que preferia não acordar de manhã é muito diferente de pensar em se machucar ou se matar. Se está pensando em se ferir, procure ajuda. Existem pessoas que já passaram pelo que você está passando. A sobrevivência pode ser um minuto de cada vez. Se você precisa de ajuda para superar esse momento, por favor, faça contato com o serviço de prevenção a suicídios da sua região. A maioria dos países tem linhas de apoio nacionais e a ajuda está sempre disponível em qualquer lugar com acesso à internet.

> "Não vou me matar, mas posso dizer que, se um piano estivesse caindo de cima deste prédio por onde estou passando, eu não correria para sair do caminho."
>
> DAN, depois da morte de seu marido, Michael.

SOBREVIVENDO À DOR: ENCARANDO O QUE DÓI

Para problemas físicos, temos toda uma farmacopeia de tratamento da dor. Para a verdadeira dor do luto, temos... nada. Sempre me pareceu muito bizarro termos uma resposta para quase todas as dores físicas, mas para a dor psicológica – uma das dores mais intensas que podemos experimentar – não existir remédio. Temos que apenas senti-la.

E, de certa forma, é verdade. A resposta para a dor é simplesmente senti-la. Algumas tradições falam em praticar a compaixão diante da dor em vez de curá-la. Na minha interpretação dos ensinamentos budistas, a quarta virtude descreve uma abordagem aos tipos de dor que não podem ser curados: *upekkha*, ou equanimidade. *Upekkha* é a prática de permanecermos emocionalmente abertos e testemunhando a dor enquanto nos mantemos em estado de equanimidade com relação à nossa capacidade limitada de mudar as coisas. Essa forma de compaixão – por nós mesmos, pelos outros – tem a ver com permanecer suficientemente calmo para sentir tudo, permanecer calmo *enquanto* sentimos tudo, sabendo que aquilo não pode ser mudado.

Supostamente, a equanimidade (*upekkha*) é a forma de compaixão mais difícil de ser ensinada e a mais difícil de ser praticada. Não é, como entendemos comumente, a equanimidade no sentido de permanecer indiferente ao que aconteceu, é mais uma qualidade de atenção límpida e calma diante da verdade imutável. Quando uma coisa não pode ser mudada, a resposta "evoluída" é *prestar atenção*. Sentir. Encarar aquilo e dizer "Eu te vejo".

Este é o grande segredo do luto: a resposta para a dor está na dor. Ou, como escreveu E. E. Cummings, deve-se procurar a cura do ferimento no sangue do próprio ferimento. Parece algo intangível demais para ter utilidade, mas, ao permitir que a dor exista, você a muda de algum modo. Há poder em testemunhar a própria dor. O desafio é permanecer presente em seu coração, para o seu coração, para seu eu profundo. Mesmo, e especialmente, quando esse eu está ferido. A dor quer ser ouvida. Ela *merece* ser ouvida. Negar ou minimizar a realidade da dor a piora. Dizer a verdade sobre a imensidade da sua dor – que é outro modo de prestar atenção – muda as coisas, mesmo que não as melhore.

É importante encontrar os lugares onde seu luto pode ser tão ruim quanto é, onde fica tão horrível quanto é. Deixe sua dor se estender. Ocupar todo o espaço de que ela precisa. Quando tantas outras pessoas dizem que seu luto precisa ser sanado ou contido, ouvir que existe espaço suficiente para sua dor se espalhar, se desenrolar... é algo que cura. É um alívio. Quanto mais você se abre para a sua dor, quanto mais você consegue conviver com ela, mais consegue se entregar à ternura e ao carinho de que precisa para sobreviver a isso.

Sua dor precisa de espaço. De espaço para se desdobrar.

Acho que é por isso que procuramos locais de natureza abundante. Não apenas durante o luto, porém *frequentemente* nesse período. Precisamos desses lugares: a linha do horizonte se expandindo, a sensação de espaço ilimitado, uma paisagem ampla, profunda e suficientemente vasta para conter qualquer coisa. Às vezes uma dor como a sua não pode ser contida nem pelo universo em si. Verdade. Às vezes o luto precisa de mais do que uma galáxia. Talvez sua dor possa dar a volta várias vezes no eixo do universo. Nem as estrelas têm tamanho suficiente para abarcá-la. Com espaço suficiente para respirar, expandir-se, ser ela própria, a dor se suaviza. Não estando mais confinada e apertada, ela pode parar de se debater contra as barras da jaula, pode parar de defender seu direito de existir.

Não existe nada que você precise fazer com sua dor. Nada que você precise fazer *com relação* à sua dor. Ela simplesmente existe. Dê a ela sua atenção, seu cuidado. Encontre maneiras de deixá-la se expandir, existir. Cuide de si mesmo enquanto a sente. Isso é muito diferente de tentar superar.

O modo de abordar a dor é de olhos e coração abertos, com o compromisso de encarar o que dói. Isso não consertará nada. E muda tudo.

CUIDANDO DA DOR: O QUE SERIA NECESSÁRIO?

A maioria das pessoas não ignora intencionalmente a dor. Não é que não queiramos testemunhá-la; apenas não sabemos o que é necessário para encará-la. Dar espaço para o luto é uma habilidade não linear e, portanto, relativamente amorfa, mas isso não significa que não *exija* habilidade.

Minha amiga e colega Mirabai Starr, autora de *Caravan of No Despair*, escreve em uma postagem em seu site:

Enquanto respirávamos a verdade do que tinha acontecido na nossa vida, seguros na comunidade protetora que construímos juntos, começamos a descobrir que o insuportável ficava suportável, que, ao sussurrar "sim" em vez de gritar "não", uma graça inefável começava a preencher o espaço de nossos corações despedaçados...

Tente. Se você já tentou, tente de novo. Encontre a dor ardente da perda dentro de você e entre suavemente nela. Permita-se explorar com gentileza e amor como é sentir a dor desse modo. Com compaixão por si mesmo, desarme seu coração ferido e respire calmamente dentro dos destroços. Não há necessidade de fórmulas chiques ou declarações receitadas. Não existe objetivo. Apenas estar. Aqui. Dentro do fogo do luto. Uma respiração depois de outra.[1]

Mirabai nos encoraja a buscar a "dor ardente da perda", mas encarar essa dor, abordá-la suavemente; sentir de fato a intensidade do peso e da forma pode ser desafiador. A simples ideia de abordar suavemente a dor pode ser apavorante. O que você encontrará lá? Se entrar nela, será que vai encontrar o caminho de volta?

Parte desse processo está em aprender a confiar em nós mesmos. Confiar é realmente complicado quando o universo virou de cabeça para baixo, de modo que não estou falando em confiar que tudo vai dar certo ou em confiar que você fará tudo certo. De jeito nenhum. Estou falando mais em confiar que você não vai se abandonar dentro da dor.

Às vezes só precisamos saber que *podemos* cuidar de nós mesmos. Que, não importa o que aconteça, você vai se defender como defenderia uma pessoa amada, se cuidando do melhor modo possível. Fazer isso repetidamente ajuda a reforçar a confiança em nós mesmos, o que, por sua vez, torna mais fácil enfrentar a dor diretamente. Permite procurar sua dor com a intenção de enxergá-la com compaixão.

No trabalho com traumas, jamais mergulhamos na discussão dos acontecimentos traumáticos em si até que a pessoa tenha uma sólida estrutura de apoio e um modo de administrar os sentimentos que afloram. Parte da construção da confiança em nós mesmos está em criar essa estrutura, acrescentando segurança à perspectiva de procurar a dor.

O que seria necessário para procurar sua dor, para senti-la diretamente e com amor? O que seria necessário para você sentir segurança e força suficientes para entrar suavemente na sua dor? Tempo? Privacidade? Vinho? Uma âncora do outro lado? Uma garantia de resultado?

> "Se você quer que eu respire dentro desses destroços, preciso mergulhar neles de cabeça. Apoiar todo o meu peso nesses destroços, permitir que eles me sustentem, me segurem. Significa reviver cada momento. Os mais difíceis, sombrios e afiados. Os felizes, antes de ele morrer, que trazem um tipo específico de dor. Significa estar grávida de novo. Contando os dias. Tomada por aquela empolgação estranha que é absolutamente única do momento em que você conhece seu filho.
> Às vezes sinto vontade de procurar a dor. Quero marinar dentro dela, permitir que ela penetre em minha pele. É uma espécie de tônico. Uma limpeza do organismo. Um modo de demolir o alicerce e recomeçar do zero. O que às vezes – se é que ouso dizer – pode fazer a gente se sentir bem depois. É recompensador sentir o gosto da coragem. Não ter nada a perder. O luto nos deixa desarmados, mas às vezes o que vem depois é inebriante. Porque o que você pode fazer comigo agora? Essa petulância foi adquirida com luta. Sou um terreno novo ansioso por novas construções."
>
> KATE SUDDES, aluna do curso *Writing Your Grief*, sobre a morte de seu filho, Paul.

TENTE ISTO

APOIO EM MEIO AOS DESTROÇOS

Descobrir de que você precisa – não para se sentir "bem" com a situação, mas para se sentir amparado e apoiado dentro dos destroços – é o trabalho pesado de sobreviver ao luto. Para explorar suas necessidades, você pode escrever suas reações às perguntas a seguir. Ou pode responder a alguma outra coisa no texto escrito por Mirabai. Escreva sobre qualquer coisa que atrair você.

- De que você precisaria para se sentir mais apoiado em sua dor? Como podemos tornar uma situação impossível mais suave, afável e fácil para o seu coração?
- Você pode falar da sua dor como se fosse uma criatura independente: "Para sentir segurança o bastante para encarar você, eu precisaria de..."
- Você pode começar um texto livre com a frase: "Se você quer que eu respire dentro desses destroços..."

Esse exercício também é ótimo quando um aniversário de morte ou um evento difícil está se aproximando. Muitas vezes conseguimos encarar momentos difíceis se soubermos que há um ponto final. Você pode estabelecer esse ponto final definindo uma atividade ou um encontro com uma pessoa de confiança para logo depois desse momento pelo qual você precisa passar. Por exemplo, se você sabe que a reunião com os advogados do espólio será extremamente intensa e emocional, planeje tomar um chá ou fazer uma caminhada com uma pessoa amiga depois da reunião. Prepare um lanche com comida nutritiva para depois dessa reunião. Vá assistir a algum filme bobo.

Responder às perguntas acima pode lhe dar uma ideia do que você necessita para sentir amparo diante dos momentos difíceis que precise enfrentar. Estabelecer isso de antemão lhe dá uma âncora para se firmar durante o acontecimento e garante que você tenha uma rede de apoio para depois. Cuidar de si desse jeito é como viajar no tempo: dê ao seu eu do futuro o apoio de que ele precisa agora para que ele não precise pedi-lo mais tarde.

NÃO AGUENTO MAIS!

Na verdade, o "trabalho" central do luto é aprender a se amparar nesse período. Mas outra habilidade importante é trancar nosso luto ou nossas emoções quando não for seguro senti-los. Talvez seja porque você está no trabalho, está lidando com seus filhos, sogros, pais, vizinhos fofoqueiros, tentando dirigir um carro ou operar máquinas. Às vezes, encarar sua dor é insuportável. Não estou falando de trancar as emoções como uma solução de longo prazo (isso *realmente* não funciona), e sim trancá-las em um momento em que sentir toda a dor em toda sua intensidade não seria benéfico. Às vezes a negação é na verdade uma gentileza. A distração é uma estratégia saudável para lidar com o luto.

Lembro-me do primeiro Dia dos Namorados depois da morte de Matt. Nessa ocasião eu ainda estava comendo tão pouco que era importante manter vários tipos de lanche rápido em casa, para o caso de surgir a vontade de comer. Precisei me esforçar para ir ao mercado. Notei que o estacionamento parecia especialmente cheio, mas me obriguei a entrar. Estava tão alienada do mundo que nem fazia ideia de que era o Dia dos Namorados. Assim que entrei, fui golpeada instantaneamente por casais, casais, casais em toda parte. Casais apaixonados ou aparentemente apaixonados fazendo compras juntos, de braços dados. Cartazes grandes proclamavam o dia romântico. Para todo lado que eu me virava, casais discutiam amorosamente qual vinho comprar ou se deveriam pegar aquele bife caro, orgânico, de gado alimentado em pasto.

Para todo lado que eu me virava, Matt estava morto. Matt estava morto. Não existem mais jantares românticos. Não existem mais jantares comuns. Não existe mais nada. E não somente isso, mas com o tempo cada um daqueles casais ia acabar em morte. As paredes começaram a se fechar ao meu redor. Eu não conseguia respirar. Não conseguia conter as lágrimas.

Saí correndo da loja, encontrei meu carro e, de algum modo, entrei nele antes que as comportas se escancarassem. Sabia que estava em apuros. Estava frenética. Precisava que a dor parasse. Sabia que não era seguro dirigir. Ninguém da minha rede de apoio mais próxima atendeu ao telefone nem respondeu às minhas mensagens. Claro, eles estavam com seus parceiros no Dia dos Namorados.

Felizmente me lembrei de um exercício que eu havia ensinado um milhão de vezes no consultório antes que alguém próximo a mim morresse: quando seu mundo está desabando, concentre-se no que é tangível, externo, físico. Interrompa o desabamento. Acalme o cérebro. Não deixe a espiral continuar.

Instantaneamente, velhos hábitos afloraram. Encontrar todas as coisas de cor laranja ao redor e dizer o nome delas. Sapatos. O odômetro na tela acesa. O logo naquela placa mais adiante. O casaco daquela mulher. Skate. Bicicleta idiota, feia. A imagem de fundo de um selo, aparecendo sob uma pilha de correspondência no banco do carona.

Também poderia ter escolhido uma letra do alfabeto e recitado tudo de que me lembrasse que começasse com essa letra. Ou contado as listras no estacionamento. Ou pegado o cardápio do restaurante tailandês que estava no chão do carro, citando os ingredientes dos pratos que costumavam ser os meus prediletos. Os objetos em si não importavam. O que importava era que fossem insignificantes, e o fato de procurá-los, contá-los, me dava uma âncora dentro de uma tempestade emocional que eu não conseguiria controlar se me virasse para enfrentá-la.

Quando a dor é grande demais para o ambiente em que você está, pode se transformar em uma inundação emocional. E não é isso que procuramos quando sugiro que você dê espaço à sua dor. A dor nunca vai ser boa, mas certamente há ocasiões mais fáceis do que outras para cuidar da enormidade dela.

NÃO SE CONCENTRE NO SEU CORPO; NÃO TENTE ENCONTRAR SEU "LUGAR FELIZ"

Quando você precisa de uma âncora durante uma tempestade emocional, não importa que objeto você escolha; só importa que ele seja o mais neutro e comum possível. Às vezes, em situações assim, clínicos e professores recomendam focalizar na respiração ou em sensações físicas.

Mas quando você está lidando com a morte, um ferimento ou uma doença crônica, voltar a atenção para o corpo pode piorar as coisas.

Nos primeiros dois anos depois da morte de Matt eu não conseguia acompanhar meditações ou visualizações que me fizessem focar na respiração. Quando tentava ou era instruída a fazer isso, só conseguia ver, sentir ou lembrar que Matt não respirava. Voltar a atenção para meu corpo me lembrava visceral e dolorosamente que Matt não tinha mais corpo. Que o meu próprio corpo poderia falhar a qualquer momento.

Alguns ensinamentos também sugerem que você se imagine no seu "lugar feliz" quando estiver dominado pela emoção. No começo do luto é praticamente impossível encontrar um "lugar feliz". Não existe lugar que sua perda não alcance. Não existe nada que não esteja ligado a ela. Na minha vida anterior à morte de Matt, minha imagem de lugar feliz era um local perto do rio. Essa imagem foi destruída pelo rio de verdade; eu jamais poderia voltar lá e ficar em paz. Para um paciente acamado, qualquer chance de imaginar um lugar feliz era obliterada pelo fato de que ele jamais poderia estar sozinho em um lugar feliz.

Quando sua vida foi totalmente implodida e reorganizada, não existe uma coisa, um lugar, uma atividade ou uma imagem feliz e calmante que não esteja manchada de algum modo.

Não falo isso para desanimá-lo, e sim como um reconhecimento da realidade: as ferramentas que funcionam fora do luto nem sempre são úteis dentro dele. Por isso quero que você foque em alguma coisa mundana e comum: há menos chance de um exercício assim provocar mais dor quando você se concentra no que é tedioso, repetitivo e está fora do seu corpo.

Lembre-se de que se afastar da dor quando ela é grande demais para a situação é um ato de gentileza. É um modo de prestar atenção, de cuidar de si com amor e respeito. Atravesse a inundação do melhor modo possível e volte à sua dor quando tiver os recursos e a capacidade para isso.

GENTILEZA COM NÓS MESMOS

Neste capítulo mencionei várias vezes a gentileza.

Você notou?

Se resumirmos tudo que há neste livro sobre como sobreviver ao luto intenso, o resultado seria o seguinte: demonstre gentileza consigo mesmo.

Cuidar de você, reagir com amor e ternura à própria dor insuportável... não vai consertar nada que não possa ser consertado.

Mas, depois de tudo que você viveu, de tudo que precisou fazer – os telefonemas, as decisões, os planos para o funeral, a vida evaporada em um instante, tudo que vocês tinham pela frente –, você merece gentileza. Merece o máximo de cuidado e respeito. Merece amor e atenção.

Por mais que tentem, as pessoas ao redor nem sempre demonstram esse tipo de amor. O mundo em si, com seus atos aleatórios de dor, violência e estresse generalizado, nem sempre vai lhe oferecer esse tipo de amor. Mas você pode.

> Daqui em diante, que eu seja gentil com meu eu triste.
>
> PETER POUNCEY, *Rules for Old Men Waiting*

VOCÊ PODE SER GENTIL CONSIGO MESMO

Gentileza é autocuidado. Gentileza é reconhecer quando precisamos recuar. É permitir que nossa dor exista sem julgamento, confiar em nós mesmos e dizer sim ao que ajuda e não ao que não ajuda. Gentileza significa não deixar sua mente machucar você.

Ser gentil consigo mesmo é muito difícil. Estamos sempre falando sobre como outras pessoas merecem gentileza, mas e quando se trata de nós? Nunca. Sabemos muito bem dos nossos defeitos, dos modos como estragamos as coisas, como estamos fazendo tudo errado. Nós nos tratamos com muito mais rigor do que jamais permitiríamos que outra pessoa nos tratasse. Todo mundo tem dificuldade com isso; não é só você. Para a maioria das pessoas, ser gentil com os outros é muito, muito mais fácil.

E se voltássemos à quarta forma de compaixão, *upekkha*, equanimidade, aquela "atenção calma e silenciosa ao que não pode ser mudado"? Isso descreve a gentileza.

O luto exige gentileza. Gentileza conosco. Depois de tudo que já precisamos viver.

Essa gentileza pode significar se permitir dormir quanto você precisar, sem se dar uma bronca por causa disso. Pode implicar dizer não a um compromisso social. Pode ser pegar o retorno depois de ter chegado ao estacionamento, tendo decidido que não consegue fazer compras naquele momento.

Pode ser nos darmos uma folga, aliviando nossas exigências. Pode ser nos pressionarmos, às vezes, a sair do ninho acolhedor da distração para a paisagem mais ampla da dor.

A gentileza pode tomar muitas formas, mas o seu comprometimento com ela, não. É aí que está a sua segurança. É onde existe estabilidade dentro deste mundo totalmente bizarro e abalado. Saber que você não vai se abandonar.

A gentileza não mudará nada, mas tornará as coisas mais fáceis na mente e no coração. Assim, hoje, mesmo que só um pouquinho, será que você consegue ser gentil? Pode tirar um momento para perguntar o que significa ser gentil consigo mesmo?

Busque a gentileza, mesmo que você não consiga alcançá-la. Busque a gentileza. Não pare de buscar.

Você pode escrever uma resposta para esta pergunta: que tipo de autogentileza você poderia fazer hoje? Neste momento?

O MANIFESTO DO AUTOCUIDADO

Como é muito difícil praticar a autogentileza, é importante manter lembretes diários e tangíveis.

Na terapia frequentemente lembramos às pessoas a analogia com a segurança nos aviões: em momentos de perigo, ponha sua máscara de oxigênio antes de tentar ajudar os outros. Durante o luto você *precisa* se colocar em primeiro lugar. Para sobreviver, precisamos ser ferozes com relação ao autocuidado.

Um manifesto do autocuidado é um mapa para a sobrevivência. É um atalho e um direcionamento para quando nos sentirmos desnorteados e perdidos no luto. É apoio e encorajamento para permanecermos fiéis a nós mesmos, atender às nossas necessidades quando o mundo exterior insistir que façamos as coisas do jeito dele. Ajuda a escolhermos a gentileza no lugar do autoflagelo.

Chamar isso de "manifesto" talvez pareça exagerado e presunçoso. Mas, sério, não há nada mais importante do que sermos ferozes com relação às nossas necessidades, colocarmo-nos em primeiro lugar, insistirmos em abrir espaço para as coisas que ajudam, facilitam e suavizam a situação.

Um manifesto sobre o autocuidado pode ser curto, com apenas duas palavras: praticar gentileza. Também pode ser uma carta de amor para nós mesmos ou uma lista de cerca de 10 lembretes importantes.

MANIFESTO DO AUTOCUIDADO

Se você criasse seu manifesto sobre cuidar de si, o que incluiria? Escreva. Cole em algum lugar. Cole em todo lugar. Pratique diariamente. Não importa quantas vezes você escorregou para o sofrimento ou permitiu que sua mente lhe desse uma surra, você sempre pode voltar à gentileza.

Que você possa ser gentil com seu eu triste.

9

O QUE ACONTECEU COM A MINHA MENTE?

Lidando com os efeitos colaterais físicos do luto

Nem sempre é fácil encontrar descrições dos muitos modos pelos quais o luto impacta o corpo e a mente. Este capítulo aborda alguns efeitos mais comuns, e estranhos, do luto e oferece ferramentas para ajudar a apoiar e alimentar seu corpo e sua mente à medida que você percorre esse novo mundo após a perda.

LUTO E BIOLOGIA

Costumamos pensar no luto como algo primariamente emocional, mas é uma experiência de corpo e mente como um todo. Você não está somente sentindo falta da pessoa que perdeu; todo o seu sistema fisiológico também está reagindo. Estudos em neurobiologia mostram que perder alguém próximo muda nossa bioquímica: existem motivos físicos para a insônia, a exaustão e o coração disparado.[1] A respiração, os batimentos cardíacos e as reações do sistema nervoso são em parte regulados pelo contato íntimo com pessoas e animais; essas funções cerebrais são afetadas profundamente quando perdemos alguém próximo.

O luto afeta o apetite, a digestão, a pressão sanguínea, os batimentos cardíacos, a respiração, a fadiga muscular e o sono. Basicamente tudo. Qualquer parte do seu corpo será afetada pelo luto.

Além dos efeitos físicos, mudanças cognitivas, perda de memória, confusão e falta de atenção são comuns no início do luto. Alguns efeitos chegam a durar anos, e isso é perfeitamente normal.

É verdade em muitos níveis: perder alguém muda a gente.

O ESTADO INTERMEDIÁRIO

O início do luto é um limiar. O limiar é um período de ambiguidade ou desorientação que acontece quando uma pessoa não é mais quem era e ainda não se tornou alguém totalmente novo e concreto. É um lugar em que a metáfora comum da transformação da borboleta é útil: podemos dizer que, enquanto está no casulo, uma lagarta/borboleta está em um limiar, não é nem lagarta nem borboleta. Do mesmo modo, no início do luto não somos uma coisa nem outra. Tudo que já fomos, física e emocionalmente, se encontra em transição.

Nosso corpo e nossa mente se encontram em um estado intermediário. Entender o que está acontecendo pode nos ajudar a fazer escolhas que apoiem nosso eu físico afetado pela perda.

EXAUSTÃO E INSÔNIA

O sono é muito importante durante o luto. Este capítulo sobre o luto e o corpo começa com problemas de sono porque não dormir o suficiente ou dormir mal com frequência afeta o modo como nosso corpo e nossa mente processam a perda. O sono é um período de reabilitação do corpo e é sempre o primeiro "lugar" onde procurar melhora ou consolo quando as coisas estão desmoronando.

Nos meus primeiros dias, o luto seguia a própria programação de sono. Frequentemente eu estava acordada às 10 da noite ou voltando para a cama às 10 da manhã, depois de ter acordado havia uma hora, mais ou menos. Quando o horário de verão terminou, não me incomodei em acertar os relógios. A única coisa que eles me mostravam, naquele primeiro ano (ou mais) do luto, foi que eu parecia acordar à mesma hora toda noite: três da madrugada.

Nem posso contar a quantidade de vezes que acordei com o som do meu próprio choro.

Dormir "suficientemente bem" é importante, mas o luto reorganiza o sono: ou nos deixa insones, ou reduz as horas de "vigília" a um curto período entre longos cochilos. E, mesmo quando dormimos, o luto abre caminho, não importa quão exaustos estejamos. Algumas pessoas se pegam acordando repetidamente na hora em que seu ente querido morreu. Outras acordam estendendo a mão para o espaço vazio, despertando bruscamente ao encontrá-lo realmente vazio. Muitas pessoas têm um momento grogue de esperança ao acordar, achando que tudo talvez tenha sido um sonho, mas a realidade desaba sobre elas enquanto os olhos tentam se abrir.

Se você está tendo problemas para dormir, não está sozinho. Dormir o tempo todo e nunca conseguir dormir o suficiente são coisas totalmente normais no luto.

Se descobrir que precisa de sono quase constante – o máximo que as outras exigências da vida permitem –, tudo bem. Durma quanto puder, quando puder. Isso ajuda o corpo a se restaurar, mantendo-o mais forte, melhor e mais saudável. Não é evasão nem negação: é restauração e trégua.

Se você não consegue dormir ou ficou abalado com um sonho, não lute contra isso. Seu corpo e sua mente estão processando muitas emoções. É difícil pegar no sono e dormir com esse tipo de dor. Descanse o máximo que puder, mesmo que não consiga dormir totalmente. Sem dúvida existem coisas que você pode fazer para encorajar o sono, mas, como todos sabemos, o luto nem sempre segue regras previsíveis.

Essa é uma área em que sua equipe médica – tanto alopática quanto integrativa – pode ajudar. Fale com profissionais de sua confiança sobre maneiras de proporcionar um sono mais reparador.

SONHOS E PESADELOS

Apesar de o sono ser ainda mais necessário durante o luto intenso do que em outras ocasiões, os pesadelos sobre a sua perda podem fazer com que você evite dormir. Sonhos recorrentes ou sonhos em que você recebe a notícia da morte de novo e de novo são na verdade uma parte saudável e necessária do luto.

Eles são uma bosta. Eu sei.

E é durante o sono com sonhos que nossa mente faz o trabalho profundo e pesado de dividir a realidade da perda em partes possíveis de assimilar. O psicoterapeuta James Hillman escreve: "Os sonhos nos dizem onde estamos, e não o que fazer."[2] Os pesadelos não trazem soluções nem oferecem previsões do futuro. É a mente criativa, associativa, tentando se orientar nessa perda.

Isso não os torna mais fáceis. Todo o seu organismo está se esforçando para ajudar você a sobreviver, e os pesadelos fazem parte desse processo. É saudável, e às vezes o "saudável" parece uma merda.

Adoro o que o professor Jon Bernie recomenda: "Tome nota; preste atenção. Mas não se intrometa. Não mergulhe nem se enrole tentando analisar." Jon Bernie não estava falando de pesadelo, mas a ideia se aplica aqui. Depois de um pesadelo sobre o luto, você pode reconhecê-lo, nomeá-lo, enquanto sua mente se esforça para processar a perda. Uma coisa simples como repetir "Minha mente está tentando absorver as coisas" pode ajudar a acalmar suas ideias e aliviar o sistema nervoso quando um pesadelo acordar você.

DESAFIOS FÍSICOS: O LUTO E O CORPO

A natureza física do luto pegou você de surpresa?

Ouvi muitas pessoas enlutadas tendo dificuldades com dores e doenças "misteriosas", todas atribuídas ao luto ou ao estresse. Palpitações cardíacas, dores de cabeça, dores de estômago, fraqueza ou tontura. Mesmo não sendo médica, posso dizer que essas coisas parecem bem comuns no luto, especialmente nos primeiros dias. (Se você está preocupado com sintomas físicos, por favor, fale com seu médico. Só porque eles *podem* estar relacionados ao luto não significa que estejam *necessariamente* relacionados.) Depois da morte de Matt eu parecia ter herdado a azia dele, a dor ciática e o pescoço dolorido. Nada disso era "meu" antes que ele morresse. E essas dores adotadas não foram as únicas mudanças no meu corpo.

Revendo algumas das minhas anotações nos primeiros dias do luto, fico pasma ao perceber como estava cansada. A quantidade de dor física que sentia: músculos doloridos, dores de cabeça, dores fantasmas que podiam aparecer em qualquer lugar. Procurei a emergência do hospital nada menos que quatro vezes nos primeiros dois anos, com dores estomacais violentas, dores no peito, alterações de visão. E os exames não revelaram nada.

Diagnóstico: estresse.

O efeito do estresse sobre o corpo é bem documentado. A morte fora de hora, o luto inesperado, as mudanças gigantescas na vida... Dizer que essas coisas provocam estresse é o eufemismo do século.

Faz sentido seu corpo se rebelar: ele só consegue suportar até certo ponto.

Muitas pessoas notaram que é o corpo – as reações e sensações físicas – que as alerta de uma data emocionalmente significativa. Você pode não saber conscientemente que hoje é dia 17, mas sentiu mais exaustão e náuseas o dia inteiro. Só compreende quando olha para o calendário: foi no dia 17 que ele deu entrada no hospital ou que você recebeu o telefonema dizendo que ela estava desaparecida.

O corpo lembra. O corpo sabe.

Em muitos sentidos, penso no corpo como o receptáculo que segura toda essa experiência. O fato de se partir e mostrar sinais de tensão faz sentido quando pensamos no que ele precisou suportar.

ALTERAÇÕES DE PESO

– Uau! Você está ótima! Emagreceu pra caramba. Começou a correr ou algo assim?

– Meu companheiro morreu.

– Bom, não sei o que você está fazendo, mas continue! Você está incrível.

Não existe apetite “normal” no luto. Algumas pessoas comem

quando estão estressadas; outras, como eu, perdem todo o interesse pela comida. Perdi mais de 10 quilos nos primeiros meses. Simplesmente não comia. Meus nutrientes vinham principalmente do leite no chá e de um ou outro bolinho. A cada poucos dias eu beliscava mais alguma coisa.

Tive sorte: não houve prejuízo duradouro para o meu corpo. Além disso, eu estava sob os cuidados da minha médica e ela deixou claro que ia intervir se achasse que eu corria perigo. Seu corpo pode reagir de modo diferente. Algumas pessoas desenvolvem problemas sérios e duradouros devido ao que chamamos de "dieta do luto". Entre as complicações devidas a comer de mais ou de menos podem estar a diabetes, o colesterol elevado, problemas respiratórios... todo tipo de coisa que você já deve ter ouvido um milhão de vezes. Quando você para de comer porque a comida é nauseante ou quando come constantemente porque precisa fazer *alguma coisa*, seu corpo precisa se esforçar mais para se manter estável e firme.

Dito isso, sei que nem sempre você pode fazer muita coisa com relação a esse problema. Um encorajamento a uma boa alimentação sempre funciona melhor do que um constrangimento ou uma pressão. Seu corpo precisa de combustível para sobreviver a isso. Talvez você descubra que pequenas porções de comida saudável e cheia de nutrientes são toleradas com mais facilidade por sua mente e por seu corpo do que refeições completas. Você pode se dar alternativas (um cochilo, uma caminhada, ligar para alguém) em vez de continuar a comer depois de já ter matado a fome. Faça o que puder.

CUIDADOS PESSOAIS

Os cuidados pessoais costumam ser deixados em segundo plano durante o luto. É difícil se importar com uma dieta saudável ou ter motivação para praticar meditação ou qualquer outra técnica de redução do estresse. Talvez você fique se perguntando "De que adianta?" ao pensar em cuidar do corpo, dada sua experiência com perdas súbitas ou acidentes aleatórios.

O negócio é que cuidar do organismo é uma das poucas maneiras tangíveis que realmente podem mudar a experiência do luto. Encontrar pequenas maneiras de cuidar do corpo pode reduzir o sofrimento, ainda que não mude sua dor.

Lembre-se de que cuidar do corpo é um ato de gentileza (e você merece gentileza). Faça o que puder, como puder. Reveja suas respostas às perguntas e os exercícios no Capítulo 7 para ajudar a identificar qualquer padrão ou hábito capaz de melhorar seu bem-estar físico: o que funcionou algumas vezes pode ajudar de novo. E, por favor, certifique-se de procurar seus profissionais de saúde se tiver preocupações específicas sobre seu corpo.

O LUTO E O CÉREBRO: POR QUE VOCÊ NÃO É MAIS A PESSOA QUE ERA ANTES

Quando Matt morreu, eu perdi a cabeça – e não como você deve estar pensando.

Eu era uma pessoa capaz de ler livros. Tinha uma memória fantástica. Conseguia me organizar sem precisar de anotações nem de agenda. Era capaz de fazer tudo isso e, de repente, estava guardando as chaves no congelador, esquecendo o nome do meu cachorro e não conseguindo lembrar que dia era ou o que tinha comido no café da manhã. Não conseguia ler mais do que algumas frases de cada vez e em geral precisava voltar e relê-las. Uma pessoa que antes era capacitada e se empolgava com debates intelectuais não conseguia acompanhar nem mesmo as discussões mais simples. Não conseguia dar o dinheiro certo a um caixa.

Minha mente simplesmente parou de funcionar. Isso já aconteceu com você? Você já perdeu a cabeça?

No mundo dos viúvos, frequentemente usamos a expressão *cérebro viúvo* (ainda que isso ocorra em muitos tipos de perda). É uma expressão ótima para os efeitos cognitivos cumulativos do luto. Se você entrou de luto recentemente – e com "recentemente" quero dizer qualquer coisa desde ontem até alguns anos atrás –, descobrirá que seu cérebro não funciona. Você pode ter sido uma pessoa brilhante e organizada antes dessa perda, capaz de fazer várias tarefas simultaneamente, lembrar, executar.

Só que o luto muda tudo isso.

UMA COISA DE CADA VEZ: VOCÊ NÃO ENLOUQUECEU

Se sua mente não é mais o que era, você está normal.

Não enlouqueceu. Você *sente* que enlouqueceu porque vivencia uma experiência maluca. O luto, em especial o luto recente, não é um momento normal. Faz todo o sentido sua mente não funcionar como antes: tudo mudou. Claro que você está desorientado. Sua mente está tentando entender um mundo que *não faz mais sentido*.

Por causa do modo como o luto impacta a mente e os processos cognitivos, você provavelmente também perdeu o interesse por coisas das quais costumava gostar, suas faculdades intelectuais podem ter mudado, sua memória e seu limiar de atenção podem ser praticamente inexistentes.

O luto faz isso. Reorganiza a mente. Retira habilidades que você possuía desde a infância. Dificulta até mesmo as coisas mais simples. Faz com que hábitos antigos pareçam arbitrários ou confusos. Provoca um impacto na memória, na capacidade de comunicação, na capacidade de interação.

Mesmo sendo completamente normal, tudo isso pode fazer com que você sinta que perdeu muitas das coisas que faziam você ser quem era.

PERDA DE MEMÓRIA

Junto com o luto costuma vir um esquecimento atrapalhado, uma distração. Chaves e copos deixados no lugar errado, ou em lugares estranhos, são tremendamente comuns. Comida congelada guardada no lava-louça na volta do mercado. Você aparece no dentista na segunda-feira quando sua consulta é na quinta da semana seguinte.

Não importa como sua memória de curto prazo funcionava antes da perda, ela provavelmente mudou durante o luto. Esquecer nomes, faltar a compromissos, não conseguir lembrar se deu o remédio do cachorro de manhã... tudo isso é normal. É como se a lembrança de todos esses pequenos detalhes se tornasse gastos "extras" e sua mente não pudesse se dar esse luxo. Sua mente só consegue reter certa quantidade de informações, por isso ignora o que não é necessário para a sobrevivência. É como uma triagem mental.

Esse é outro efeito colateral físico do luto que parece melhorar com o tempo. À medida que os dias passam desde a perda, sua mente abre mais espaço para a memória. A ordem é mais ou menos restaurada (ou recriada).

Enquanto isso, espalhar lembretes e anotações é um bom modo de ajudar a memória. Sua necessidade de usar um monte de post-its, temporizadores e alarmes não é sinal de que você não está se saindo bem. É prova de que está fazendo todo o possível para ajudar sua mente e facilitar as coisas para você. Cubra toda a casa de papeizinhos com lembretes se for necessário. Eles não vão ajudá-lo a encontrar as chaves, mas podem ajudar a lembrar outras coisas.

EXAUSTÃO MENTAL

Você pode ter sido uma pessoa tremendamente produtiva na vida antes da perda. Agora mal consegue realizar uma única tarefa por dia. Pode se sentir sobrecarregado com a quantidade de detalhes que precisam de atenção. Muitas pessoas acham que perderam a competência, o ímpeto e a confiança anteriores.

Há um motivo para você não conseguir fazer tanta coisa quanto antes.

Pense do seguinte modo: digamos que você tenha 100 unidades de capacidade cerebral por dia. Neste momento a enormidade do sofrimento, o trauma, a tristeza, a saudade e a solidão ocupam 99 dessas unidades de energia. A unidade que resta é tudo que você tem para as atividades comuns do cotidiano. Esse único circuito que resta é responsável por organizar detalhes do funeral e de quem vai em qual carro. Ele precisa manter você respirando, seu coração batendo e acessar suas habilidades cognitivas, sociais e de relacionamento. Lembrar que os utensílios de cozinha ficam na gaveta, e não no congelador, que suas chaves estão embaixo da pia da cozinha, onde você as deixou quando ficou sem papel higiênico – essas coisas simplesmente não têm precedência na lista de prioridades do cérebro.

Claro que você está exausto. Sua mente, como todo o resto, está fazendo o máximo que pode para funcionar e sobreviver sob circunstâncias muito severas. Por favor, tente não julgar suas realizações atuais comparando-as com o que você *era* capaz de fazer. Neste momento você não é aquela pessoa.

PERDA DE TEMPO

Quando você olha para o seu dia em retrospectiva, talvez não consiga articular o que fez. Quando perguntam, talvez você não possa dar nenhuma prova de ter *feito* nada. Lembre-se de que boa parte do trabalho, no início do luto, é feito em seu coração e em sua mente, e não em ações exteriores. O fato de você não ter ideia de que dia é ou não conseguir lembrar quando comeu pela última vez faz perfeito sentido. É nesses períodos perdidos, aparentemente improdutivos, que seu corpo e sua mente estão tentando absorver sua perda: é quase como um ciclo de sono acordado. Sua mente se desliga para poder se curar.

De novo retornamos à ideia de cuidar do organismo: cuide-se do melhor modo possível e saiba que a névoa da perda de tempo diária acabará se dissipando. Permitir-se esse tempo perdido, cedendo a ele em vez de relutar, pode facilitar um pouco as coisas.

LENDO E NÃO LENDO

Durante toda a vida fui uma leitora voraz. Os livros sempre foram minha forma mais comum de apoio e afinidade. Durante pelo menos um ano depois da morte de Matt, eu mal conseguia ler um rótulo, quanto mais manter a atenção em um livro inteiro. Quando lia, percebia que não estava entendendo nada. Bom, não exatamente não "entendendo". Eu reconhecia as palavras. Sabia o que estava lendo. Mas nada era absorvido. Relia várias vezes um parágrafo para entender alguma coisa. Os personagens me confundiam. Os argumentos das histórias não faziam sentido. Eu chegava ao fim de uma frase e esquecia o que fora lido no começo.

Ouvi o mesmo tipo de coisa de praticamente todo mundo nos primeiros dias do luto: o luto oblitera a capacidade de ler, compreender e manter o foco. Nem pense em ler vários livros ao mesmo tempo como você fazia. Um capítulo, até mesmo uma página, provoca exaustão emocional e mental.

Na verdade, ao escrever este livro, minha equipe e eu discutimos sobre o tamanho que os capítulos deveriam ter, sabendo como é difícil ler e compreender. Há muita coisa a dizer sobre o luto e pouca capacidade para absorver tudo.

Não importa quão apegado aos livros você tenha sido antes da perda, provavelmente sua capacidade de ler foi impactada pelo luto. Não há muita coisa que você possa fazer a respeito. Para algumas pessoas, a compreensão volta, mas o limiar de atenção jamais retorna ao estado anterior ao luto. Para muitas outras, a compreensão e o limiar de atenção voltam gradualmente, mas as áreas de interesse para leitura e a aprendizagem pegam um novo caminho.

Se você está sofrendo essa perda secundária em sua capacidade de leitura, saiba que na maior parte dos casos ela é transitória. A recuperação (ou reconstrução) da sua mente leitora pode apenas demorar mais do que você imagina.

SOBRE A CONFUSÃO

A compreensão da leitura não é a única coisa impactada pelo luto. Nos primeiros meses, o próprio mundo pode se tornar um lugar bizarro e confuso: lembro-me de estar na fila do caixa, no mercado, olhando para o dinheiro na minha mão. Tinha perdido a capacidade de contar, não conseguia entender o que as notas significavam. Tentei adivinhar, com lágrimas escorrendo pelo rosto, e entreguei um maço de dinheiro ao caixa.

A confusão mental e uma espécie de névoa cerebral são extremamente comuns. É como se as noções humanas arbitrárias – coisas como dinheiro, horário, regras de trânsito (e de outras coisas), expectativas sociais, níveis de higiene – parecessem não ter nenhuma relação com o que estamos vivendo.

Durante um tempo ficamos desconectados das fórmulas culturais que estabelecemos na vida. Coisas com as quais concordamos culturalmente – como pedaços de papel serem trocados por mercadorias ou o almoço acontecer por volta do meio-dia – se revelam símbolos vazios, sem relação com qualquer coisa intrinsecamente... real.

O luto despe a vida de suas características mais essenciais. Nesse estado visceral, seu distanciamento do mundo "normal" pode parecer intransponível. Nisso há uma verdade desconfortável: você não é como as outras pessoas. Pelo menos neste momento.

O mundo foi arrasado. Coisas "comuns", realizadas normalmente por quem não está de luto, nem sempre farão sentido nem parecerão significativas para você.

Quer dure apenas um momento ou pareça interminável, essa confusão é normal. Tende a ir e vir, relacionada a outros elementos estressantes da sua vida, tarefas emocionalmente pesadas que você precise realizar, e a quanto você está comendo e quão bem você está dormindo. É por isso que voltamos ao fundamental cuidado do corpo: sustentá-lo pode ajudar a reduzir os sinais do efeito perturbador do luto sobre a mente.

CRIANDO NOVOS CAMINHOS COGNITIVOS

Não sou neurocientista, mas, tal como entendo, nossa mente trabalha criando relacionamentos e reconhecendo padrões. Uma nova informação entra e o cérebro a conecta ao que já sabemos. Esse processo costuma acontecer sem emendas: você nunca o percebe de fato.

No luto, seu cérebro precisa codificar e ordenar uma realidade impossível. Os dados apresentados não fazem sentido lógico. Nunca houve nada como esse acontecimento, de modo que não há como conectá-lo ou relacioná-lo a qualquer outra coisa. Ele não se encaixa. O cérebro não consegue *fazer* essa nova realidade se encaixar. Como o coração, o cérebro resiste a essa perda: ela não pode ser verdadeira.

Esses saltos e hiatos na memória e no processo de pensamento são o cérebro tentando fazer com que os dados se encaixem em um mundo que não pode absorvê-los. Com o tempo, ele entenderá que essa perda não se encaixa nas estruturas que existiam antes. Precisará criar novos caminhos, novas conexões mentais, ligando a cada dia essa perda à pessoa que você está se tornando.

Você não enlouqueceu. Não está com defeito. Seu cérebro está ocupado e vai demorar até voltar a se reconectar.

Com o tempo, sua mente vai perceber que o lugar das chaves do carro não é o congelador.

Com o tempo, você voltará a ler frases inteiras, parágrafos inteiros, sem precisar repetir as palavras para entender.

O luto em si não fará sentido, a perda em si não vai se transformar em algo organizado e sensato, mas sua mente e seu coração vão se adaptar. Essa perda será absorvida e integrada.

Seu coração e sua mente são feitos para isso: adaptar-se a novas experiências. Não é algo bom nem ruim, é simplesmente o que eles *fazem*.

Para muitas pessoas, são necessários alguns anos até que toda a capacidade cognitiva retorne a uma forma reconhecível. Existem perdas nisso também. Algumas dessas perdas são temporárias e outras significam que sua mente mudou conforme você avançava. O que é preciso lembrar é que seu cérebro está se esforçando para dar sentido a uma coisa que jamais poderá fazer sentido. Todos esses circuitos mentais que costumavam disparar com tanta clareza estão se esforçando ao máximo para se relacionar com esse mundo totalmente modificado.

Sua mente está fazendo o máximo para manter um pé na realidade quando a realidade enlouqueceu. Seja paciente consigo mesmo. Lembre-se de que isso é uma reação normal a uma situação estressante; não é um defeito.

Você não enlouqueceu. Está de luto. São coisas muito diferentes.

RECONHEÇA OS EFEITOS COLATERAIS FÍSICOS E MENTAIS DO LUTO

Que sintoma físico você percebeu em seu luto?

O luto mudou o modo como sua mente funciona?

Se você já passou do impacto inicial do luto, como percebeu sua mente mudando à medida que se acostumava com o peso da perda?

A validação é poderosa durante o luto. Como é ouvir histórias (aqui e em outros lugares) que mostram como sua experiência é normal?

10

LUTO E ANSIEDADE

Acalmando a mente quando a lógica não funciona

O luto muda nosso corpo e nossa mente de maneiras estranhas. A capacidade cognitiva não é a única função cerebral que fica confusa. A ansiedade – quer seja novidade ou conhecida desde antes da perda – é um problema enorme no luto.

Eu costumava ter muitos problemas de ansiedade.

Dirigindo na volta da faculdade tarde da noite, meu cérebro cansado conjurava todo tipo de imagem horrível: coisas que eu não poderia impedir, ainda longe de casa. Imaginava que tinha deixado o forno ligado 12 horas antes e que a casa havia pegado fogo. Talvez estivesse pegando fogo naquele exato momento. Imagens de meus animais de estimação sofrendo saltavam diante dos meus olhos.

Era medonho.

Depois de muito trabalho pessoal, reflexão e pura irritação com esse padrão, encontrei maneiras de administrar esses medos. Na verdade, fiquei tão boa em redirecionar esses pensamentos que senti que os havia superado completamente. Fazia uma década que não tinha uma crise desse tipo.

Nos meses anteriores ao afogamento de Matt, notei esses temores voltando. Eu saía de casa e começava a entrar em pânico pensando que os gatos iam fugir, ficar presos em algum lugar e morrer de frio, sozinhos e com medo. Ou que nosso cachorro seria atropelado e eu não estaria lá para ajudar. Comecei a me preocupar sempre que Matt demorava a chegar. Partia para fantasias negativas em vez de me concentrar no que estava acontecendo.

Um dia, no início de julho, me peguei em uma espiral de pensamentos em pânico. E falei em voz alta: "Para!" Repeti em voz alta o que dissera mil vezes a mim mesma e aos meus pacientes: "É inútil se preocupar com o que não aconteceu. Se acontecer alguma coisa ruim, você vai enfrentar na hora certa. É tremendamente improvável que aconteça alguma coisa terrível. Se acontecer, você vai enfrentar."

Sete dias depois, aconteceu a coisa "tremendamente improvável". E sabe de uma coisa? Meus sensores de medo não soaram. Nada de pânico. Naquela manhã não senti nenhuma ansiedade. Nada. Estava me sentindo perfeitamente calma. Quando precisei da minha sensibilidade aguda para me alertar de todas as possibilidades perigosas e horríveis, ela fracassou.

Nos anos seguintes, minha ansiedade foi a mil. Imaginei mais coisas ruins acontecendo. Imaginei todo mundo que eu amava desaparecendo em um instante, todo mundo que eu conhecia e amava (inclusive eu mesma) correndo perigo, sofrendo, morrendo. Ficava alerta a qualquer indicaçãozinha de que as coisas fossem dar errado. Não importava que a ansiedade tivesse se mostrado tremendamente ineficaz para prever ou impedir uma catástrofe. A ansiedade é uma droga viciante e fica mais poderosa quando sabemos que eventos improváveis *acontecem* e não podemos fazer nada.

Estou contando essa história porque aposto que você consegue se identificar.

As sensações de ansiedade são normais para quem sobreviveu a uma perda ou a um trauma intenso. Durante o luto, o mundo inteiro pode parecer um local inseguro, que exige vigilância constante: procurando sinais de problemas, resguardando-se de mais perdas. Você ensaia o que faria se ficasse *de novo* diante de um trauma impensável.

Se você está lutando contra a ansiedade durante o luto, talvez tenha tentado se acalmar com pensamentos positivos, lembrando tudo que há de bom ao redor ou reafirmando a segurança da vida cotidiana. Mas essas coisas não funcionam quando você já viveu o improvável. Acidentes bizarros, mortes inesperadas, eventos horríveis, impensáveis... essas coisas acontecem. Conosco. Comigo. Com você. Ansiedade, luto e experiência prévia são uma combinação perigosa. Você não confia mais nos seus instintos. Coisas terríveis são possíveis. A vigilância constante pode parecer o único caminho. O perigo espreita em toda parte. A perda está sempre esperando. Você precisa se preparar.

O problema é que, em vez de ajudá-lo a se sentir seguro, o medo perpétuo cria uma vida estreita, difícil, dolorosa, que não é mais confiável do que nenhuma outra. Nossa mente se transforma em uma elaborada câmara de tortura. O futuro passa diante de nossos olhos em um fluxo de eventos horríveis. Não conseguimos dormir por causa da ansiedade, e a ansiedade piora porque não estamos dormindo. É como uma incessante roda de hamster feita de temores, tentativas de racionalização e lembranças do que deu errado.

A ansiedade é exaustiva. É uma droga. E nem mesmo é útil, não importa quanto ela grite que é real. A ansiedade é nitidamente ineficaz para administrar o risco e prever o perigo. A maioria dos nossos medos jamais se realiza e, como escrevi antes, nas verdadeiras emergências, a ansiedade costuma estar ausente.

Se a ansiedade é tão ruim em prever a realidade, por que ficamos ansiosos? O que há na ansiedade que a faz parecer tão real, tão lógica e tão impossível de desligar?

O CÉREBRO FAZ SEU TRABALHO... BEM DEMAIS

Nossa mente é feita para imaginar situações perigosas. Na verdade, isso é brilhante: somos programados para visualizar, na segurança da mente, coisas às quais jamais poderíamos nos arriscar com o corpo físico. Imaginamos cenários para avaliar o risco, deduzir o que faríamos em determinada situação, avaliar como resolveríamos um problema de vida ou morte, de modo a não precisarmos experimentar esses riscos com nosso eu físico, que é muito mais frágil. Em uma condição menos ameaçadora, nosso cérebro deduz como resolver os problemas cotidianos de modo a reduzir a carga de estresse do próprio corpo: você analisa um problema, descobrindo meios de facilitar as coisas.

O cérebro é um mecanismo interno de sobrevivência através da solução de problemas. É lindo.

Quando existe um perigo real, nosso cérebro dispara uma cascata de hormônios destinados a nos ajudar a escapar rapidamente. O sistema nervoso entra em alerta máximo. O cérebro saudável, em bom funcionamento, nos ajuda a escapar do perigo ou lutar contra o que ameaça nossa segurança. Assim que o perigo passa, o corpo deve retornar ao estado calmo, não ansioso, com baixo nível de estresse.

A cascata de hormônios e a resultante reação de fuga ou luta também podem ser disparadas quando *imaginamos* situações estressantes, perigosas ou ameaçadoras. Às vezes é útil imaginar um perigo em potencial. O problema é que, especialmente quando já experimentamos uma situação perigosa, exageramos no uso dessas grandes capacidades imaginativas. A cada vez que imaginamos múltiplos desastres *potenciais*, perigos horríveis, todas as maneiras pelas quais o mundo pode dar errado, dizemos ao sistema nervoso que há um perigo real acontecendo. Instigamos essa torrente de hormônios que nos ajudaria a escapar. Não é possível fugir de um perigo imaginado, por isso esses hormônios do estresse não se dissipam. Você se imagina cada vez mais em perigo, instigando o corpo a partir para uma ação que jamais será tomada; você jamais volta a um estado "calmo e relaxado".

Pressionamos o cérebro até a exaustão tentando nos manter em segurança.

É como um cachorro mordendo a pele onde coça; morder onde coça faz coçar mais, o que o faz morder ainda mais, o que faz coçar mais. Os pensamentos temerosos provocam uma reação cerebral que gera uma reação física, que condiciona nossos pensamentos a mais temores, reiniciando o ciclo.

E é por isso que você não pode apenas se convencer a sair da ansiedade. Também é por isso que jamais acabarão os cenários terríveis a resolver: sua mente é apanhada em um ciclo que ela própria criou, sempre imaginando novas ameaças que precisam ser administradas.

IMAGINANDO PERIGOS PARA SENTIR SEGURANÇA

Se é ineficaz e horrível viver assim, por que fazemos isso? Não faz sentido, faz? Honestamente, o que estamos procurando – em qualquer tipo de ansiedade – é uma evidência de segurança. Quer isso signifique segurança física ou emocional, todos queremos saber que estamos seguros, sendo cuidados, e que não ficaremos sozinhos, sem amor ou proteção. Nossa mente inventa situações, às vezes repetidamente, em que estamos em risco – em que somos feridos de algum modo – para que possamos encontrar alguma condição, alguma prova, de que estamos em segurança.

De um jeito estranho, essa é uma reação compreensível: alguma coisa na nossa mente diz "Estou com medo" e o cérebro reage com uma cascata de imagens e hormônios para nos ajudar a encontrar a segurança. Como em determinado ponto você teve uma experiência de mundo drasticamente inseguro, assim que um medo é solucionado, a mente cria outro medo, em uma busca perpétua pela segurança: é uma ferramenta natural de sobrevivência que deu defeito.

Claro que você sente ansiedade. Depois de uma morte ou outra perda gigantesca, todo o conceito de "segurança" desce pelo ralo. Você não pode contar com antigos confortos de acreditar que é improvável que seus temores se realizem. Você não pode se apoiar no risco estatisticamente baixo de certas doenças ou acidentes acontecerem. Só porque você viu seus familiares há meia hora não significa que eles ainda estejam bem *agora*. Quando a segurança básica do mundo já fracassou com você, como é possível senti-la outra vez?

Não que a ansiedade seja *errada*; ela só não é eficaz em criar a segurança que você procura. O negócio é o seguinte: não importa o que sua ansiedade lhe diga, ensaiar o desastre não deixará você em segurança. Verificar repetidamente como as pessoas estão para garantir que elas *ainda* se encontram seguras jamais provocará um sentimento duradouro de segurança.

ABORDAGENS DE CURTO PRAZO PARA A ANSIEDADE

Como a ansiedade é um mecanismo de sobrevivência que descarrilou, não adianta apenas querer parar com isso: se você negar os seus temores, eles vão fazer mais barulho ainda. Você não pode aplicar lógica a um sistema baseado no medo. Também não adianta colocar todo mundo que você ama em uma bolha de proteção e jamais deixá-los sair de sua vista. Em vez de suprimir os medos ou tentar freneticamente tornar seguro o mundo ao redor, existem outras formas que podem aumentar seu sentimento de segurança ao mesmo tempo que mantêm um estado de calma alerta.

Como você está lendo este capítulo, presumo que esteja lidando com ansiedade ativa. Durante a ansiedade ativa, nem sempre é útil realizar algumas das práticas mais complexas que apresentarei mais adiante. Essas abordagens vão ajudar você a retreinar a mente para um padrão mais estável e neutro, de modo a não se perder na ansiedade com tanta frequência. Mas e se você já estiver perdido nela? Acalmar a mente quando já estamos em uma espiral de ansiedade e praticar o autocuidado pode ajudar a curto prazo.

Acalmar o sistema

Lembre-se de que a ansiedade é uma reação cerebral do sistema nervoso ao perigo imaginado. Não é lógica; é *biológica*. Estudos científicos de traumas e neurobiologia mostram que modificar a respiração ajuda a acalmar o sistema nervoso quando ele está agitado, como acontece durante a ansiedade aguda. Eu poderia falar de estudos de neurociência de ponta, mas o que realmente importa é muito simples: aumentar o tempo da exalação alivia o sistema nervoso, interrompendo o fluxo de hormônios do estresse que provocam a ansiedade.

Quando estiver ansioso, faça com que a exalação seja mais longa do que a inalação.

É bastante simples. E isso é bom, porque, quando você está perdendo a cabeça, lembrar de uma única dica é muito mais fácil do que lembrar de várias intervenções. Tornar a exalação mais longa do que a inalação alivia a reação de luta ou fuga no sistema nervoso e o foco na respiração lhe dá uma âncora de pensamento em vez de emendar um medo em outro. O fato de isso ser simples é ótimo: apenas uma opção, sob seu controle, sempre acessível.

Durante a ansiedade aguda (com "aguda" quero dizer que seu cérebro está em uma confusão de medos), você também pode pensar em alguns dos exercícios de ancoragem e calma que abordamos no Capítulo 8. Se usar um deles junto com a longa exalação, vai ajudar seu corpo e seu cérebro a encontrar um estado tranquilo, calmo.

Você acabou de entrar em pânico com a ideia de se acalmar porque poderia deixar de perceber algum perigo?

Lembre-se de que acalmar a ansiedade não tem nenhuma relação com o fato de algo acontecer ou não. Acalmar a ansiedade é apenas isto: *acalmar a ansiedade.* O medo desenfreado impede que você se conecte ao presente e definitivamente impede que você desfrute de qualquer coisa boa que exista neste momento. Além disso, a ansiedade exaure suas reservas de energia, dificulta o sono e, em termos gerais, faz você se sentir um lixo. Não quero vê-lo assim.

Se você não absorver nenhuma das informações deste capítulo, treine soltar a respiração mais devagar do que quando inspira. Não precisa ser uma respiração profunda: só exale um pouco mais devagar. Experimente. Veja o que acontece.

Cuidar do organismo

Reconhecer a ansiedade como *sintoma*, e não como um modo de prever a realidade, é uma distinção útil. Para muitas pessoas, a ansiedade aumenta quando estão exaustas, não se alimentaram bem ou foram expostas a múltiplos desafios. Se você sabe que sua ansiedade está ligada ao seu estado físico e emocional, pode procurar os primeiros sinais de alerta que lhe permitam intervir antes que a coisa fique feia.

A abordagem mais fácil é rever as listas que você fez no Capítulo 7: é lá que encontrará os primeiros sinais de alerta. Quando seus pensamentos ficarem mais ansiosos ou agitados, tome como uma pista de que você precisa refletir, diminuir o ritmo e cuidar do seu organismo: dormir, comer, descansar, movimentar-se. Abordar primeiro essas necessidades físicas pode reduzir boa parte da ansiedade.

REAÇÕES DE LONGO PRAZO PARA SUPERAR A ANSIEDADE

É importante descobrir o que fazer quando a ansiedade nos domina. Quando temos um pico de ansiedade, é muito mais útil se ajudar a ficar calmo do que investigar os motivos por trás dela. Deixar de reagir aos acontecimentos com surtos de ansiedade e passar a agir de modo mais calmo exige treino, mas não é impossível. Existem coisas que você pode fazer para ajudar seu sistema geral a não cair tão facilmente nos hábitos de ansiedade. A redução da frequência e da quantidade de ansiedade que você experimenta é feita em três partes: aprender a confiar em você, substituir ideias de desastre por imagens mais positivas e encontrar um ponto neutro, sem negar o perigo e sem sucumbir à ansiedade desenfreada.

Imagine uma reação hábil

A ansiedade é uma condição criada que não tem nada a ver com a realidade: ela prospera em um futuro (negativo) imaginado. Se você continuar criando problemas imaginários, sua mente continuará fornecendo soluções imaginárias. Como a solução para cada hipótese é diferente, a mente ansiosa tentará abordar todas as situações possíveis e neutralizar uma de cada vez. Em uma busca implacável por segurança, ela se alimenta de si mesma.

Aqui vai um exemplo: uma das minhas pacientes é uma pessoa inteligente, engenhosa, calma e diligente. Depois da morte do marido, ela começou a ficar obcecada com a hipótese de as coisas darem errado em casa, com a possibilidade de mudar de emprego, se deveria viajar ou não e uma infinidade de outras coisas. Ficava acordada à noite imaginando se tinha ajustado direito o sistema de calefação.

Se tivesse, será que estava funcionando corretamente? O que aconteceria se desse defeito? E se os detectores de fumaça falhassem ou a fornalha explodisse?

Ela imaginava desastres um depois de outro. Se resolvia um, outro brotava no lugar. Esse é o problema da ansiedade: você jamais terá falta de desastres potenciais.

Em vez de continuar a repassar sucessivas hipóteses de desastre, bolando um plano de ação para cada uma, é muito mais eficaz e eficiente... confiar em nós mesmos. Diante dos vários desafios apresentados por sua mente, você pode dizer: "Confio em mim para enfrentar qualquer problema que surja em casa. Se houver algo que eu não saiba como resolver, confio em mim para pedir ajuda."

A autoconfiança é difícil. Mas, independentemente de qualquer coisa, você tem um estoque de histórias de sucesso para usar. Provavelmente já demonstrou que é capaz de enfrentar boa parte dos desafios, grandes ou pequenos. Não há motivo para acreditar que não seria capaz de resolver esses problemas ou pedir ajuda se precisasse.

Além disso, apagar incêndios imaginários não ajuda nem um pouco a se preparar para um incêndio de verdade. Se você sente ansiedade com relação a situações específicas, veja se consegue identificar maneiras de reduzir o risco de acontecerem. Faça coisas práticas, realistas, como mudar a bateria dos alarmes de fumaça, trancar as portas à noite e usar capacete ao andar de bicicleta. Aborde seus medos de maneira concreta, mas não deixe que dominem você. Até que surja uma necessidade real, não há motivo para imaginar hipóteses de desastre.

Em vez de criar problemas, você pode dizer a si mesmo: "Neste momento, pelo que sei, está tudo bem. Se surgir um desafio de qualquer tipo, confio em mim para reagir com habilidade. Se houver algo que não sei fazer, confio que vou pedir ajuda."

Usar uma declaração de autoconfiança como escudo aumenta o sentimento de segurança com muito mais eficácia do que repassar possíveis soluções para possíveis desastres. Com o tempo você pode retreinar a mente para se acalmar e não explodir.

■ ■ ■

"Mas eu *fracassei* de verdade!", você pode dizer. A autoconfiança pode parecer impossível quando você sofreu uma perda. Em casos de acidente, suicídio, perda pré-natal e outros tipos, é normal se questionar. Mas o que não ajuda é se atormentar por toda a eternidade. Talvez você pudesse ter feito algo diferente. Talvez. E talvez você tenha feito o que podia com a informação que tinha naquela hora. E talvez essa perda realmente não tenha nada a ver com o que você "deixou de perceber" e cujo resultado era impossível mudar.

Independentemente do que seja, não adianta passar o resto da vida com medo de deixar de perceber alguma coisa. Cortejar esse tipo de ansiedade perpétua só irá exaurir você até o ponto em que não conseguirá reagir com habilidade ou sagacidade quando for necessário.

Uma mente calma e um corpo bem descansado são sua melhor chance de avaliar uma situação e reagir com habilidade. Um autointerrogatório implacável, a busca de defeitos e a vergonha não levarão a lugar algum.

Imagine o melhor cenário possível

Você pode pensar: *Ah, que ótimo, agora vou ficar ansioso sobre ter pensamentos ansiosos, porque pensar em desastres está piorando tudo e tem mais chance de reduzir minha capacidade de agir no caso de surgir outra emergência.*

É. Isso é ansiedade. Ela se alimenta de si mesma.

Também temos uma crença cultural disseminada de que nossos pensamentos criam a realidade. Boa parte dos livros de desenvolvimento pessoal e os falsos gurus também dizem isso: se tivermos mais consciência das coisas ao redor, se formos mais conectados aos *detalhes*, não acabaremos em situações horríveis. E, se passamos por alguma dificuldade, é porque, de algum modo, nós a provocamos. Com nossos pensamentos. Existe um bocado de base cultural para a ansiedade: você atrai o que pensa, portanto é melhor ter certeza de que está tendo os pensamentos corretos. Se algo der errado, a culpa é sua.

"Você cria sua realidade" é algo notoriamente inverídico e cruel para um coração enlutado. Muitos de nós já nos sentimos responsáveis pelo que aconteceu, tanto pela morte de alguém que amamos quanto pelo fato de não estarmos passando pelo luto "suficientemente bem". Ainda que esse ditado possa (e enfatizo o "possa") ter um fiapo de verdade, na maior parte é pura baboseira. Seus pensamentos podem influenciar o modo como você *reage* ao que existe, mas não criam o que já existe.

Você é capaz de muitas coisas, mas não tem tanto poder assim. Não pode manifestar morte, saúde, perda ou luto apenas com seu pensamento. Sua ansiedade contínua não fará com que mais perdas aconteçam. Deixar de sentir ansiedade e de ficar em alerta não irá "condenar" nem proteger você.

Se pensamentos pudessem manter as pessoas em segurança, nenhum de nós estaria de luto. Se apenas pensamentos pudessem impedir doenças, acidentes e sofrimentos, nada disso existiria. O pensamento mágico não controla a realidade.

O que seus pensamentos *farão* é influenciar como você se sente sobre si mesmo e o mundo ao redor. O melhor modo de trabalhar com seus pensamentos é usar seus incríveis poderes de imaginação – evidentes em todas aquelas situações imaginárias de desastre – na busca do futuro que você deseja, e não na busca do futuro que você não deseja. Quero que você use os poderes naturais do seu cérebro para o bem, e não para a ansiedade. Se precisa imaginar alguma coisa, imagine o melhor cenário possível. Que essa seja sua imagem orientadora. Não porque vá influenciar alguma coisa (em qualquer direção), mas porque tornará mais fácil viver aqui e agora, e quero que isso seja mais fácil para você.

Se está com medo, e talvez esperando para ver como alguma coisa vai se desenrolar, *você* decide como imagina tudo acontecendo. Como nada aconteceu ainda, use seu cérebro para imaginar um cenário lindo.

Deixe seus pensamentos criarem um estado de calma interior e de otimismo esperançoso (ainda que não leve). Essa é a realidade que os seus pensamentos podem mudar.

Encontre o meio-termo

A chave para administrar ou mesmo transformar a ansiedade não está em encontrar um local seguro, e sim um local neutro. Todos precisamos de garantias. Todos precisamos de um sentimento de segurança, e a vida é inerentemente insegura. Qualquer coisa pode acontecer no próximo instante; algumas gloriosas, outras horrendas. O único modo que descobri para viver nessa realidade é dizer a mim mesma que, no momento, não estou segura nem correndo perigo. Todo momento é neutro.

É essa neutralidade que as tradições orientais, e algumas antigas tradições ocidentais, chamam de "desapego" ou o centro calmo e límpido. É um lugar de calma alerta: nem ensaiando o desastre nem caindo na negação dos riscos da vida.

A qualquer momento alguma coisa ruim e alguma coisa boa são igualmente possíveis. A paz de espírito está no que treinamos para esperar. Especialmente no início do luto, isso pode se tornar um processo e uma prática de optar por acreditar em um momento benigno. Nem bom nem ruim. Nem seguro nem perigoso. Aqui, agora, neste momento, você se encontra em um estado... neutro. O meio-termo, onde você consegue respirar, onde há espaço... esse é o lugar ideal. É disso que tratam os ensinamentos antigos: viver nesse ponto neutro. O que não significa ter equanimidade "independentemente de qualquer coisa" ou estar "acima" de tudo. Significa enxergar a situação atual, o ambiente atual, exatamente como é, sem enfeites ou fantasias sobre o futuro. Parafraseando Eckhart Tolle: ansiedade é usar sua imaginação para criar um futuro que você não quer. Portanto, não vamos fazer isso.

Se você não consegue acreditar na "segurança", volte-se para a neutralidade. É um lugar muito mais estável do que o medo.

A MAIOR RESPOSTA PARA A ANSIEDADE: VOCÊ PRECISA EXATAMENTE DE QUÊ?

Temos muita vergonha da ansiedade; frequentemente fingimos que não a sentimos. Não é eficaz fingir que você não está com medo. Fingir que não está com medo atrapalha seus relacionamentos interpessoais e deixa você se sentindo incrivelmente instável. Esconder a ansiedade faz com que ela saia pela tangente: você *age de acordo* com a sua ansiedade em vez de *reagir* a ela.

De novo retornamos ao remédio mais poderoso que temos: o reconhecimento. Pode parecer contraintuitivo, mas, de algum modo, dizer a verdade – "Não me sinto seguro no mundo neste momento" ou "Estou com medo de que meu cachorro morra" – modifica as coisas. A ansiedade muda. Fica mais suave. Sua fixação no mundo exterior relaxa um pouquinho.

Dizer a verdade permite que você relaxe o suficiente para se perguntar de que precisa neste momento. Quando se pegar imaginando situações de desastre, diga a verdade: "Estou com medo de sofrer mais perdas." Solte o ar mais lentamente. Pergunte o que você está procurando de fato: de que você precisa neste momento? As respostas a essa pergunta podem ser: paz interior, conforto, afeto, um cochilo... qualquer coisa que estabeleça um sentimento de segurança mais verdadeiro, e não situacional.

Se você identificar uma necessidade de, digamos, paz interior ou contato pessoal, de que outros modos você pode reagir a essa necessidade em vez de ensaiar desastres impossíveis de superar ou de verificar continuamente a segurança das pessoas amadas? Você pode precisar de mais informações sobre uma situação ou pedir consolo e contato em vez de administrar o medo de perder tudo isso.

Se estiver fora de casa, com medo de ameaças à segurança de seu filho ou de seu bicho de estimação, talvez precise voltar e cuidar de si mesmo em vez de ignorar sua ansiedade e tentar ir em frente. Essa é outra forma de gentileza pessoal. Lembre-se de que a ansiedade piora com a falta de comida ou de sono; você pode tomar isso como um sinal para cuidar do seu corpo.

Como quase sempre acontece, não existe uma resposta correta. O importante é se permitir perguntar: "De que eu preciso agora e qual é a melhor maneira de atender a essa necessidade?"

Nem sempre você vai conseguir o que precisa. Mas a prática de perguntar a si mesmo e partir para a ação com mais probabilidade de atender a essas necessidades *cria* um sentimento de segurança no mundo. Como uma abordagem de longo prazo à ansiedade, dizer a verdade e se perguntar de que você precisa é tremendamente eficaz. Funciona quando outras coisas não funcionam.

Posso resumir o assunto com a frase inspirada em ensinamentos budistas: "É melhor colocar sapatos nos seus pés do que cobrir o mundo inteiro com couro." A segurança não vive no mundo ao redor. Você não pode controlar as coisas o suficiente para se proteger contra a perda. A segurança reside apenas na defesa de nós mesmos, em ouvir nossas necessidades para além dos medos e reagir de acordo. Você não pode impedir a perda. Sua "segurança" reside em seu coração, no modo como você se cuida, em como imagina o mundo.

Por favor, encare a si mesmo, especialmente as partes ansiosas, temerosas, aterrorizadas, com amor e respeito. Esse tipo de ansiedade é normal. É mais um modo pelo qual sua mente está tentando reorganizar o mundo depois da perda. Sua cabeça está tentando manter você em segurança. Faça o máximo para aliviar a mente assoberbada sempre que puder. Diga a verdade sobre seus temores. Pergunte. Ouça. Reaja. Acima de tudo, seja *gentil* com você. Como a escritora Sharon Salzberg disse: "Você merece seu amor e afeto tanto quanto qualquer outra pessoa em todo o universo."

MAPA DA ANSIEDADE

Existe algum padrão na minha ansiedade? Quando ela é mais perceptível? Quais são os primeiros sinais de exaustão que podem levar a mais ansiedade?

Se você não tem certeza do que dispara a ansiedade, pode começar anotando as circunstâncias ou situações que a fazem piorar. Igualmente importante, anote o que está acontecendo nos dias em que sua ansiedade está mais branda ou é inexistente. O que há de diferente nesses dias?

Quando sentir ansiedade em relação a uma situação específica, pergunte-se que necessidade real está por trás do medo. Frequentemente há uma necessidade de conexão, segurança ou estabilidade. Que necessidades você identifica? Quais são os modos mais eficazes de atender a essas necessidades?

Que tipo de autogentileza você poderia oferecer em reação à sua ansiedade?

11

O QUE A ARTE TEM A VER COM ISSO?

Queria lhe dizer que o processo criativo, por si só, ajudará na sua melhora. Mas sou uma péssima mentirosa.

Não posso falar disso sem ser honesta com relação ao meu caminho. Tive dificuldade com as artes, ou qualquer prática artística, nos primeiros dias do luto. Por um longo tempo eu me ressenti das palavras e de escrever. Eu me ressenti de qualquer processo criativo. Mesmo precisando dele.

Durante toda a vida fui escritora e artista plástica. Como as artes faziam parte da minha vida profissional antes de ficar viúva, várias vezes as pessoas me diziam como eu tinha *sorte*. Tinha sorte porque podia escrever e fazer arte a partir da minha experiência. Tinha sorte porque podia transformar essa arte em um presente para os outros.

Como se essa perda, *a morte súbita do meu companheiro*, fosse redimida pelo ato de escrever sobre ela ou de fazer arte a partir dela. Como se nossa vida, *a vida dele*, fosse uma troca justa por qualquer obra que surgisse disso.

Há uma profunda presunção cultural de que criar algo a partir do luto faz com que tudo seja compensado: sua missão verdadeira é transformar o luto em uma obra de arte que toque os outros. Quando você faz isso, quando se volta para a expressão criativa nas profundezas da dor, na verdade está curando seu luto. A criatividade é um modo de transformar a dor. Os resultados da sua criatividade, se forem suficientemente bons, podem ajudar os outros a transformar a dor deles. Tudo dá certo. No mínimo, as artes plásticas e a escrita o farão se sentir melhor e você conseguirá "aceitar" essa perda mais rapidamente.

Essa presunção presta um desserviço enorme, tanto à prática criativa quanto a você.

Todos precisamos de arte. Precisamos criar. Isso faz parte de ser humano. Ainda é uma parte enorme da minha vida e não quero viver sem isso. Meu trabalho costuma usar práticas criativas dentro do luto, de modo que obviamente eu não as abandonei. Mas, quando a prática criativa é vendida como cura para o luto ou como um estilhaçamento necessário para ter utilidade, é aí que eu fico irritada, trinco os dentes e começo a rosnar.

Criar algo bom a partir da perda não é uma troca nem uma cura.

A dor não é redimida pela arte. Criar algo a partir do que aconteceu não é uma troca justa pela impossibilidade de continuar a *viver* como antes. Não existe troca justa. Não importa o que você possa criar na sua dor ou a partir da sua dor, não importa quão lindo e útil seja, isso jamais apagará sua perda. Ser criativo não resolve nada. A arte não pretende "consertar" nada.

De modo que esse é um território complicado, tanto no mundo exterior quanto neste capítulo sobre práticas criativas dentro do luto.

> "Há um segredo nisso. As palavras que escrevo trazem você para mais perto. É uma dança de sedução em um nível totalmente diferente. Faz com que eu pense na poesia romântica de Rumi, que na verdade é sobre o relacionamento dele com o Desconhecido. O amor é esclarecido, atraído através de um véu de linguagem e destilado em algo mais próximo do divino. Este é o melhor segredo: minha escrita traz você para mais perto...

Estou vestindo você com linguagem, e você
se torna mais visível."

CHRIS GLOIN, aluna do *Writing Your Grief*,
sobre a morte de seu marido, Bill.

POR QUE FAZER ISSO, ENTÃO?

Se não usamos práticas criativas para aliviar o luto, por que usá-las? Realizamos práticas criativas porque nossa mente (e nosso coração) necessita delas.

A dor, como o amor, precisa ser expressa. A mente humana vai naturalmente na direção da expressão criativa: somos feitos assim. Somos criaturas contadoras de histórias. Procuramos a arte e as histórias para nos ajudarem a entender o mundo, especialmente quando o que aconteceu não faz sentido. Precisamos de imagens com as quais viver, histórias que nos orientem na vida nova que chegou. Precisamos do processo criativo para testemunhar nossa realidade, ver nossa dor refletida. Em um mundo que com tanta frequência não quer ouvir falar da nossa dor, a página, a tela ou o bloco de desenho são sempre companheiros dispostos.

Quando separamos o processo criativo de uma necessidade de resolver ou consertar coisas, ele se torna um aliado. Torna-se um modo de suportar o luto, de reduzir o sofrimento, mesmo que não possa mudar a dor.

As práticas criativas também podem ajudar você a aprofundar sua conexão com o que foi perdido. A morte não termina um relacionamento; apenas o modifica. Escrever, pintar e outros processos criativos permitem que a conversa que começou na vida *anterior* continue na vida *posterior*. As histórias que criamos são uma continuação do amor.

E às vezes a criação permite que nos conectemos e nos relacionemos de novo com o mundo, de diferentes maneiras, nesta vida totalmente nova.

"Geralmente não ponho em palavras a dor na minha garganta, o nó no estômago, a dor de cabeça de tanto segurar as lágrimas. As palavras têm limites, mas a dor não parece ter. Então de que adianta? Palavras são ferramentas imperfeitas. Podem nos decepcionar e frequentemente decepcionam. Mas, na melhor das hipóteses, as palavras podem criar uma conexão entre mim e outra pessoa, e o que me interessa é essa conexão. Quando estamos conectados, quando a pessoa nos entende, ela entende que as palavras são apenas a ponta de um gigantesco iceberg de sentimentos, arrependimentos, sonhos e lembranças. Eu construí uma ponte com Seth por 35 anos; era uma obra de arte. É preciso mais coragem do que eu imaginava para recomeçar, reconstruir pontes com outras pessoas. Meu lado cínico diz para superar a ideia de que as palavras possam me consolar, me dar forças, me conectar. Mas meu lado sonhador, esperançoso e contador de histórias segue em frente, inseguro, na direção da ponte."

KATHI THOMAS ROSEN, aluna do *Writing Your Grief*, sobre a morte do seu marido, Seth.

Ainda que este não seja o único papel da dor, ela frequentemente nos invoca à comunicação, até mesmo à comunhão com os outros. Sem esse chamado para expressar uma dor profunda, não teríamos as imagens de Käthe Kollwitz. Não teríamos *Guernica*, de Picasso. Não poderíamos sentir nossa dor refletida nas palavras de C. S. Lewis, Cheryl Strayed, Claire Bidwell Smith ou Emily Rapp. Sentimos conforto na companhia de gente como a gente, das pessoas que vivem uma perda profunda ao nosso lado através do tempo.

As práticas criativas são um bálsamo e um apoio durante um período quase insuportável. Assim, ainda que não curem sua dor nem tragam de volta o que você perdeu, elas podem ajudá-lo a encontrar um modo de viver como precisa viver. Podem ajudar a contar a história verdadeira de um modo que torne as coisas ao menos um pouquinho mais fáceis para sua mente e seu coração. Podem ajudar a manter a conexão com o que ou quem você perdeu. Podem ajudá-lo a se conectar com seus companheiros de luto. Podem melhorar as coisas, mesmo que não possam consertá-las.

> Em seus melhores momentos, a sensação de escrever é a de qualquer graça imerecida. Você a recebe, mas só se procurá-la. Você procura, parte o coração, as costas, o cérebro e então – e só então – você a recebe.
>
> ANNIE DILLARD, *The Writing Life*

SOBRE A ESCRITA

Estudos recentes mostram que dedicar ao menos 10 a 15 minutos à escrita criativa pode ajudar a reduzir os níveis de cortisol, o "hormônio do estresse", no organismo. Ainda que os estudos revelem outras coisas sobre regulação hormonal, aumento do otimismo e redução da hostilidade, acho que a afirmação mais certeira é que a escrita, com seu efeito sobre o estresse no corpo, pode ajudá-lo a sobreviver a essa perda. Como falei sobre o luto e a mente no Capítulo 9, cuidar do corpo torna o luto em si mais fácil de ser suportado.

E não são apenas os efeitos fisiológicos que me interessam. Qualquer prática criativa, inclusive a escrita, pode ajudar a reduzir seu sofrimento, permitindo que você conte sua história.

Honestamente, não sei explicar por que escrever ajuda. Quando Matt morreu, abandonei quase tudo, menos a escrita. Não estava escrevendo para me curar. Não estava escrevendo para me comunicar com os outros. Não estava escrevendo para encontrar paz, coragem ou aceitação. Estava escrevendo porque precisava. Porque as palavras escorriam de mim, quer eu tivesse um papel à frente ou não.

Naqueles primeiros dias, era escrevendo que eu me conectava com Matt, era como continuava nossa conversa interrompida tão abruptamente. Era como eu registrava os raros momentos de calma, de me sentir amada e centrada, lugares aos quais eu podia voltar e reviver quando tudo ficava sombrio demais para ser suportado. Também era onde eu registrava esses momentos sombrios. Na página, tudo é permitido. Tudo tem voz.

Recentemente, em um podcast, ouvi o narrador dizer algo do tipo: os escritores vivem tudo duas vezes. A primeira quando o evento acontece e de novo quando o registram no papel. Para escrever este livro, olhei todas aquelas caixas e mais caixas de diários que mantive nos primeiros tempos do luto. Neles tenho um mapa de quem eu era na época, uma série de entradas sobre a intensidade do amor e da dor que marcaram aqueles dias. Assim, escrever também pode lhe dar isto: um mapa. Uma topografia do luto e do amor, um caminho a seguir, caso algum dia você precise voltar.

> "Ao perder Coll, notei que meus mecanismos normais para alcançar a paz que vem da liberação de emoções fortes não funcionavam. Quando choro, não me sinto melhor. Quando grito e berro em uma casa vazia, não me sinto melhor. Muitas vezes, quando falo com meu terapeuta, não me sinto melhor.
>
> Mas escrever... A escrita não me deixou na mão. Escrever tem sido a cura quando todo o resto fracassou. Minhas emoções ainda estão bem agitadas e fervilhando, mas já foram acalmadas, de modo que não me abalam tão fundo a todo momento. E tudo isso graças à escrita."
>
> JENNY SELLERS, aluna do *Writing Your Grief*, sobre a morte de seu companheiro, Coll.

ESCREVENDO A VERDADE (A SÓS, JUNTOS)

Quase desde o início do meu site, *Refuge in Grief*, tenho ministrado cursos de escrita para pessoas enlutadas. Jamais prometo que escrever fará alguém se sentir melhor. Pelo contrário, peço aos meus alunos para mergulhar totalmente na dor. Nada é proibido; nada é duro demais.

Quando pergunto como a escrita os ajudou no luto, os alunos sempre dizem que escrever a verdadeira realidade da perda os ajudou a sobreviver. Temos uma censura enorme sobre o luto; no mundo em geral, com certeza, mas também no nosso coração e na nossa mente. Fomos condicionados demais a não dizer o que dói. Há uma liberdade em deixar as palavras saírem. Há liberdade em ser ouvido. Na página, tudo é bem-vindo.

> "Escrever pode não consertar o luto, mas talvez tenha me dado a ferramenta mais importante que possuo para viver com ele: um meio de expressar a agonia que carreguei durante 15 anos e um grupo de almas ferozes e lindas que não somente respeitam essa expressão como não têm medo dela. Eles não têm medo dela. Por extensão, não têm medo de mim. Escrever não pode consertar o que aconteceu. Não pode desfazer o que está feito, reescrever a história ou trazer de volta meu irmão morto. Não apaga a dor, não desbota o luto nem faz com que tudo isso fique subitamente 'bem'.
>
> Escrever não me consertou. Deixou que eu começasse a me respeitar, respeitar minha experiência e meu coração partido. Durante esse tempo, meu mantra tem sido: 'O único jeito de atravessar é atravessando.' Escrever sobre o meu luto me deu esse jeito de atravessar. Uma ferramenta para atravessar. A cura aconteceu aqui. O fato de que, não importa quão

pesadas minhas palavras sejam, elas nunca, jamais, viram as costas para mim, é um tremendo presente."

GRACE, aluna do *Writing Your Grief*, sobre a morte de seu irmão.

Meus alunos me mostraram muitas vezes a força que há em contar nossa história como ela é. Sua escrita não precisa ser boa. Não precisa ser "certa". Através da escrita, o luto e o amor, o horror e o companheirismo se entrelaçam nesta história da sua vida: a história verdadeira. Você pode escrever apenas para si mesmo ou compartilhar suas palavras. O que mais importa é dizer a verdade, sem censura, sem pedir desculpas.

As palavras podem ser poucas, mas contêm o seu coração, e o seu coração é sempre bem-vindo.

DÊ UMA VOZ AO LUTO

Mesmo que você não se identifique como escritor, experimente escrever. Por todo este livro você encontrará exercícios de escrita e estímulos para começar; também há uma proposta a seguir. Regule um cronômetro marcando 10 minutos. Mesmo que precise escrever a proposta em si ou escrever repetidamente "Por que estou fazendo isso?", continue até o cronômetro disparar. Assim que tiver terminado, risque (ou digite) uma linha embaixo do que escreveu. Embaixo da linha, escreva algumas frases sobre qual foi a sensação de escrever sua reação à proposta.[1] Se o seu luto não foi "consertado" (*spoiler*: não será), alguma coisa mudou? O que você descobriu ao escrever?

Essa proposta é tirada do curso *Writing Your Grief*. Pedi aos meus alunos que dissessem quais foram suas propostas de escrita prediletas e esta foi nitidamente a vencedora:

Se você estivesse escrevendo ficção, ia precisar conhecer a voz do seu personagem principal. Saber como ele anda, que tipo de comida ele come, como penteia ou não o cabelo. Ele precisaria ser *real*.

De certa forma, o seu luto é um personagem: tem um ritmo e uma voz. É somente seu. Para trabalhar com o luto, vamos descobrir quem ele é.

Essa ferramenta criativa se chama *personificação*. Estamos dando uma voz ao próprio luto. Quando ele tem uma voz, pode nos dizer coisas. Vamos pensar neste exercício como um convite para o seu luto se apresentar a você. Aqui vai um exemplo improvisado:

> O luto é uma mulher encolhida em um canto, com uma bebida na mão esquerda, a testa suja de terra.
>
> Ela cantarola e chora; suas mãos se agitam tentando espantar coisas que eu não vejo. Quando me aproximo, ela ergue os olhos, espantados mas límpidos:
>
> – O que você quer? – pergunta, ajeitando as alças do vestido.
>
> Ela indica a si mesma.
>
> – O que mais você quer? Talvez eu tenha. Talvez eu tenha o que você quer aqui em algum lugar...

Se o seu luto é um personagem que pode se apresentar e falar, que tipo de voz ele tem? Não fale sobre ele; deixe que ele fale. Escreva com a voz do luto. Para chegar lá, você pode começar tirando alguns segundos para se acalmar. Feche os olhos. Respire. À medida que se sentir mais centrado, pegue a caneta ou ponha as mãos sobre o teclado. Respire de novo e, quando soltar o ar, imagine-se perguntando à sua dor *"Quem é você?"* ou *"Diga quem você é..."*.

"Minhas palavras não se esvaem; não querem se esvair. Vou formar uma rocha mais forte, uma força escultural que usarei para me construir, uma mãe sem o filho. Farei isso. Vou moldar minhas palavras com batidas suaves da minha marreta maternal. Vou entalhar esses profundos pensamentos de amor na minha vida.

Antes os poderosos versos da morte me eram desconhecidos, mas agora eu os canto como uma linguagem materna. Minhas palavras. Expressões absolutamente sentimentais do amor pelo meu filho. Meu filho morto. Meu filho que morreu antes que eu o desse à luz. Estas são minhas palavras. Esta é a minha verdade. Meu filho morreu e eu o amo. Aprendi um novo vocabulário."

CARLY, aluna do *Writing Your Grief*, sobre a morte de seu filho, Zephyr.

MAIS DO QUE PALAVRAS: HISTÓRIAS EM QUADRINHOS

Matt estava em ótima forma física. Por causa disso, minha mãe sugeriu que eu escrevesse uma história em quadrinhos sobre ele intitulada *Mr. Universe*. A história poderia acompanhar as aventuras dele fora deste plano terrestre, em algum lugar na galáxia, voando e tudo mais.

Bom, esse tipo de narrativa não faz o meu estilo. Mas minha mãe tinha razão. A história em quadrinhos tem alguns elementos criativos fantásticos. Nunca experimentei esse formato, mas sem dúvida está na minha lista. Uma história em quadrinhos com um roteiro incrivelmente sombrio me parece algo maravilhoso.

Existem incontáveis exemplos por aí, se você quiser explorar essa mídia com alguma orientação. Os livros do escritor e desenhista Anders Nilsen, *Don't Go Where I Can't Follow* (Não vá aonde eu não possa segui-lo) e *The End* (O fim), acompanham a doença e a morte de sua noiva Cheryl e a vida dele depois desses acontecimentos. *Rosalie Lighting: Memórias gráficas* é uma história em quadrinhos escrita por Tom Hart sobre a morte súbita de Rosalie, sua filha de 2 anos. Um dos meus livros prediletos sobre o luto, *The Sad Book* (O livro triste), de Michael Rosen, ilustrado por Quentin Blake, não embeleza a tristeza nem põe uma luz romântica do tipo "Tudo vai dar certo" sobre a perda. É um livro sentimental que Rosen escreveu depois da morte súbita de seu filho de 18 anos, Eddie.

Ainda que você não mergulhe de cara em uma história em quadrinhos, manter um bloco de desenho é uma prática fantástica. Às vezes desenhos e esboços são muito mais exatos do que palavras. Qualquer que seja o meio que você use, não tenha medo de criar uma narrativa tão sombria quanto você se sente. Essa é a sua vida; sua prática criativa pode refleti-la. Na verdade, ela *deve* refleti-la.

COLAGEM

Às vezes não consigo lidar com as palavras. Era assim antes de Matt morrer e acontece mais ainda desde então. As palavras podem ser irritantes. O vocabulário pode ser pequeno demais. Ainda que escrever seja uma prática criativa, continua usando partes da mente destinadas à lógica e à razão, e a lógica e a razão apenas não combinam com o luto profundo.

Nos meus primeiros dias de luto, havia ocasiões em que eu furava meus diários cravando a caneta, frustrada com a restrição das palavras. Frustrada porque o que me restava da nossa vida eram palavras. Furiosa porque eu tinha que encaixar essa impossibilidade em sílabas e frases. Palavras idiotas, idiotas.

Como um antídoto para a minha mente atribulada com palavras, eu me voltava frequentemente para meu antigo hábito de fazer colagens. Havia algo de muito satisfatório em rasgar revistas, destruir palavras e imagens e transformá-las em algo novo, algo meu. Assim como a poesia aleatória, de que falaremos em seguida, usar imagens de outras pessoas para criar uma nova narrativa é profundamente satisfatório. Ainda faço isso. Quando estou muito envolvida, faço uma colagem por dia, mantendo-as em um pequeno bloco artístico. Fazer isso como prática cotidiana me ajuda a entender onde estou e como estou me sentindo e a colocar na página o que não estou com vontade de escrever. E, como estou pegando emprestadas imagens de outras pessoas, não preciso começar do zero.

Como uma averiguação diária, a prática da colagem é fantástica: sem palavras, sem pensamento. Você pode usá-la como um modo de se centrar no redemoinho do luto. É um modo de reconhecer o que é real, o que é verdadeiro, não importa o que esse momento transmita.

TENTE ISTO

COLAGEM

Pegue uma pilha de revistas e jornais, uma boa tesoura, bastões de cola ou algum outro adesivo e papel de desenho grosso. Prefiro revistas de papel brilhoso, que têm mais fotos do que textos. Não há por que comprá-las: procure alguém que esteja doando revistas velhas ou verifique nos locais de coleta de material para reciclagem. Para esse trabalho, prefiro tesouras pequenas, de costura, já que os recortes podem ser bem minúsculos. Use cartolina, e não o papel de impressoras; esse amassa e fica ondulado com o peso da cola e dos recortes. Você pode até separar um bloco de desenho especificamente para isso.

Folheie as revistas, escolhendo qualquer imagem que atraia sua atenção. Deixe a mente percorrer as páginas. De vez em quando é normal se distrair com algum artigo, mas se esforce para ignorar o texto e se concentrar nas fotos.

Você pode procurar imagens maiores que sirvam de fundo e várias menores das quais você goste. Ou encontre imagens que causem repulsa, mas mesmo assim as recorte. Nada disso precisa fazer "sentido". Nada disso precisa ser "arte". Rasgue ou corte o que você quiser. Assim que tiver uma boa quantidade, comece a arrumá-las e rearrumá-las no papel. Quando o fundo básico e as imagens maiores estiverem na posição desejada, comece a colar.

Lembre-se: o objetivo não é fazer sentido ou criar alguma coisa bonita. Frequentemente as próprias imagens determinam a organização final. Se você se pegar sendo perfeccionista demais, tente estabelecer um tempo limite; saber que precisa terminar logo pode ajudar a tomar decisões de modo mais solto, mais impulsivo. No trabalho de colagem, ser impulsivo é bom.

POESIA ALEATÓRIA

Se você prefere se ater às palavras ou se quer acrescentar palavras às colagens, a poesia aleatória é uma ótima ferramenta do estilo colagem.

TENTE ISTO

POESIA ALEATÓRIA

Pegue um jornal ou qualquer coisa impressa: um livro, um panfleto, um catálogo. Textos da internet não funcionam tão bem. Abra o jornal totalmente, em uma página com muitas matérias e palavras, e não cheia de fotos. Pegue um marcador ou uma caneta colorida. Feche os olhos por um momento e respire fundo (o mais fundo que puder). Solte o ar e comece a examinar tranquilamente o jornal, sublinhando palavras aleatórias por toda a página.

Deixe as palavras disponíveis determinarem o que será escrito, mas não se atenha a um artigo ou uma coluna. Você pode saltar por toda parte. Quando sentir que terminou, anote as palavras e expressões que sublinhou. Pode rearrumá-las ou deixá-las na ordem em que foram escolhidas. Tente isso algumas vezes; você vai se surpreender com o que encontrará.

Não existe "tema" para isso. Na verdade, se você estiver se sentindo sobrecarregado ou exausto devido ao luto, crie uma história ridícula com palavras aleatórias. Use cores diferentes para histórias diferentes ou passe para outra seção do jornal. Brinque com isso. Veja o que descobre. Você até pode acrescentar sua poesia aleatória ao trabalho de colagem com fotos: termine a colagem, em seguida procure um poema aleatório para contar a história da imagem.

Assim como com todo o resto, por favor, considere que essas coisas são experimentos. Criar uma colagem de imagens ou palavras muda ou organiza alguma coisa em você? Sente que tem ao menos um espaço minúsculo para respirar enquanto faz isso? Alivia sua mente furiosa, nem que seja por um tempo? Algumas pessoas simplesmente se sentem mais relaxadas, ou menos tensas, depois dessas práticas.

Como o exercício de "bem-estar" e "mal-estar" no Capítulo 7, usar colagens e outros processos pode lhe dar informações sobre como suportar o seu luto ou como vivê-lo com o máximo de autogentileza. Ou talvez, como costumo dizer, coisas assim não resultem em nada de positivo, mas sejam menos piores do que outras. Às vezes esta é a sua melhor métrica: fazer isso é menos pior do que a maioria das outras coisas. Se você precisa fazer alguma coisa ou se está enlouquecendo por pensar demais, pegue emprestadas as palavras ou as imagens de outras pessoas por um tempo.

FOTOGRAFIA, ESCULTURA, MACRAMÊ E CULINÁRIA

Há um milhão de modos diferentes de exercer a criatividade. Aqui me concentrei principalmente na escrita e no desenho, mas você deve fazer qualquer coisa que lhe pareça certa. Eu era escultora. Acho que trabalhar com argila é uma das atividades mais criativas, catárticas e curativas. Muitos amigos e amigas viúvos se voltaram para a fotografia depois da morte dos companheiros. Alguns passaram a fazer tricô ou outras artes têxteis. Pelo menos uma pessoa colocou sua energia criativa na culinária, preparando pratos deliciosos para alimentar os outros quando seus entes amados não tinham mais necessidade de comer.

Independentemente do que você fizer no luto, por favor, lembre-se de que ele é seu. Ninguém tem o direito de determinar qual deve ser sua arte ou se ela deveria fazer você se sentir melhor. A exploração criativa é uma companheira durante o luto, e não uma solução. Como um espelho do seu coração, deixe que ela se expresse como quiser.

TRABALHOS EM ANDAMENTO

Todas as práticas criativas podem ajudar você a enxergar sua vida e seu coração como estão neste momento. Para algumas pessoas, especialmente as que não estão vivendo seu luto, isso pode parecer uma péssima ideia. Mas, na verdade, ouvir seu eu falar, ver sua verdadeira realidade na página – na escrita, na pintura, em fotografias – muda alguma coisa.

> "Naquele primeiro ano, meu ano de luto, eu mal conseguia acreditar no que havia acontecido. Carregava minha história como um objeto pesado, afiado, desajeitado. Era impossível e incômodo, sempre arranhando minhas mãos ou caindo pesadamente no meu dedão do pé. Arrastei essa história durante o calor do verão, as cores do outono, as neves do inverno e o renascimento da primavera antes de abrir espaço suficiente para ela dentro de mim.
>
> Não é um quebra-cabeça, sabe? Por mais que eu forçasse, não conseguia fazer aquele peso pontudo se encaixar em algum espacinho livre e, por mais que virasse e revirasse, não conseguia colar os cacos do meu coração partido. Precisei aprender a enxergar a coisa como um projeto de escultura, trabalhando a argila da minha perda e a argila de mim mesma, até conseguir construir algo novo a partir delas, e então recuando e aceitando que aquele projeto em andamento era eu."
>
> KATE CARSON, aluna do *Writing Your Grief*, sobre a morte de sua filha, Laurel.

Sua vida e seu luto são um trabalho em andamento. Não precisa ser terminado. Não há necessidade de ser perfeito. Só existem você e a história do amor e da perda que trouxe você até aqui. Encontre maneiras de contar sua história.

12

ENCONTRE SUA PRÓPRIA VISÃO DA "RECUPERAÇÃO"

É complicado conversar com pessoas que estão no início do luto. Durante o primeiro ano, é tentador falar que as coisas vão melhorar. Será que é gentil dizer "Na verdade, o segundo ano costuma ser bem mais difícil do que o primeiro"? O problema é que, se não avisarmos, as pessoas entram no segundo, no terceiro e no quarto ano achando que já deveriam estar "melhor". E isso é nitidamente inverídico: os anos subsequentes *podem* ser mais difíceis.

Por outro lado, se só falamos sobre as realidades profundas do luto – o modo como ele se demora, permanece e monta acampamento –, as pessoas ficam sem esperança. Você não pode simplesmente dizer "É, é horrível e medonho e vai continuar sendo por muito tempo" sem oferecer algum tipo de luz no fim do túnel.

Precisamos de um modo de falar das duas coisas: da realidade da dor profunda e persistente *e* da realidade de viver com essa dor de uma forma gentil, autêntica e até mesmo bela. Para isso, precisamos abordar as palavras que usamos e o significado que damos a elas.

> "E agora existe isto, o que chegou depois da
> morte, depois da tristeza: uma perda mais
> suave. Não é uma queimação nas entranhas,

e sim um peso acomodado. Durmo mais tranquilamente e, quando é difícil, não luto contra. Ainda estou aprendendo sobre esse outro lado da tristeza e da perda. O ponto onde eu terminava e meu luto começava não é mais um lugar. Minha tristeza e eu somos uma coisa só, não há separação. A Grande Divisão que se abriu quando ele morreu é um desfiladeiro profundo, mas tem um fundo que se eleva na direção do meu futuro. É um buraco que eu preencho com nosso amor, uma cicatriz que carrego na alma. Quando penso nisso, fico incrédula vendo como essa coisa entrou em mim e encontrou um lugar para viver. Eu gostaria de falar com ele sobre isso, sobre como eu o carrego agora."

MICHELLE SACCO DWYER, aluna do *Writing Your Grief*, sobre a morte de seu marido, Dennis.

VOCÊ NÃO PODE SE RECUPERAR DA MORTE

Sou muito meticulosa com a linguagem. A escolha errada das palavras me incomoda, mesmo nos melhores momentos. Assim, quando fiquei viúva, ouvir palavras como *recuperação* e *melhorar* me chateava muito. *Melhorar* parecia ridículo. Exatamente o que ia melhorar?

Como você pode melhorar quando a pessoa que você ama continua morta?

Sério, uma perda dessa magnitude não é algo de que você simplesmente *se recupera*.

Recuperar-se, segundo a definição do dicionário, significa restaurar-se a um estado normal, ganhar de novo o que foi perdido ou ser compensado pelo que foi tirado. Ouço muitas pessoas de luto pela perda de um filho, de um melhor amigo, irmão ou companheiro, de luto por alguém que deveria viver mais 20, 30, 80 anos. Ouço pessoas que ficaram paralisadas por acidentes ou que sobreviveram a atos de violência gigantescos. Toda a ideia de recuperação é estranha nesse tipo de luto.

Esse buraco aberto no universo não se fecha para que você volte ao *normal*. Não importa o que aconteça em seguida na sua vida, jamais será uma compensação adequada. A vida que você tinha antes não vai voltar. A perda não pode ser recuperada.

Assim, por definição, não existe um momento em que você vai se "recuperar" de uma perda como essa.

E isso complica a situação. Se não existe "cura", em termos de ficar como novos, se não podemos nos "recuperar" – assim como alguém que perdeu as pernas não pode simplesmente fazê-las crescer de novo com pura força de vontade –, como podemos prosseguir?

Para viver bem com o luto – para conviver com o luto –, acho que precisamos de novas palavras.

> Não quero que o tempo me cure. Há um motivo para eu ser assim.
>
> Quero que o tempo me deixe feia e retorcida com a perda de você.
>
> CHINA MIÉVILLE, *The Scar*

NÃO EXISTE ISSO DE "SUPERAR"

Somos modificados pelas coisas que acontecem na vida. Isso é sempre verdade. O fato de esperarem, até mesmo exigirem, que voltemos ao normal depois de uma perda devastadora é mais louco ainda quando percebemos que não existe esse tipo de expectativa em nenhuma outra grande experiência de vida. Como falei antes, a insistência na volta ao normal diz muito mais sobre o desconforto de quem fala do que sobre a realidade do luto.

Você não vai "superar". Não vai voltar a ser "quem você era". Como poderia? Recusar ser modificado por um acontecimento tão poderoso seria o epítome da arrogância.

Adoro o que a pesquisadora e escritora Samira Thomas diz sobre isso, em termos de "resiliência" e volta ao normal:

> Existem acontecimentos na vida que fazem as pessoas atravessar um limiar que as muda para sempre, quer tenham procurado a transformação ou não. A vida está sempre se desdobrando e as pessoas estão sempre em processo de mudança. Resiliência tem as implicações etimológicas de resistência a atravessar limiares e, em vez disso, adaptar um eu antigo às novas circunstâncias, sem oferecer espaço ou tempo para ser transformado pelas novas realidades.
>
> Diferentemente da resiliência, que sugere voltar a uma forma original, a paciência sugere mudança e permite a possibilidade de transformação... É um ato simultâneo de desafio e ternura, uma existência complexa que gentilmente rompe barreiras. Na paciência, a pessoa existe no limiar da mudança. Com uma abundância de tempo, as pessoas têm espaço para ser indefinidas, nem se dobrando nem se quebrando, mas, em vez disso, se transfigurando.
>
> SAMIRA THOMAS, "In Praise of Patience"[1]

Somos modificados por nossas novas realidades. Existimos no limiar da mudança. Não nos recuperamos. Não superamos. Não voltamos ao normal. Esse é um pedido impossível.

Um amigo querido passou boa parte da juventude trabalhando com restauração de minas, a prática ambiental que tenta curar paisagens poluídas e destruídas pela mineração intensiva. Esse panorama é tão complicado e fracassa tão frequentemente que muitos ambientalistas já descartaram a restauração de locais de mineração. São lugares danificados demais para serem restaurados. Na época, meu amigo trabalhava com a única pessoa que havia descoberto um modo de restaurar esses locais. O processo envolvia colaboração com tribos nativas, pesquisas sobre necessidades minerais e biológicas de várias paisagens e estudo paciente do terreno: observar os ferimentos, usá-los para determinar as mudanças ecológicas a serem feitas. O trabalho em si é intenso, exaustivo. Os resultados demoram décadas para serem vistos:

ecossistemas florescendo, a volta de plantas e animais nativos, uma paisagem curada.

Meu amigo conta que as pessoas que visitam esses locais restaurados só veem a beleza. Não existe evidência óbvia da destruição anterior. Mas para quem fez o trabalho, para quem viu o que há por baixo de todas as plantas novas, as feridas são muito evidentes. Existem famílias inteiras enterradas sob o que agora parece lindo. Caminhamos sobre uma camada de ruínas.

A Terra se cura, assim como o coração. E, se você souber reconhecer, sempre poderá ver a devastação por baixo do que brotou. O esforço, o trabalho duro, o planejamento e a luta para fazer uma coisa totalmente nova – integrada e incluindo a paisagem devastada de antes – são sempre visíveis. O fato de que a devastação da sua perda sempre existirá não significa que você ficará "eternamente arrasado". Significa que somos feitos de amor e cicatrizes, de cura e beleza, de paciência. De sermos mudados, uns pelos outros, pelo mundo, pela vida. As evidências da perda sempre podem ser vistas se soubermos reconhecer.

A vida que parte desse ponto é construída em cima de tudo que veio antes: a destruição, a desesperança, a vida que era e poderia ter sido.

Não há como voltar. Não há como superar. Só dá para seguir: uma integração de tudo que veio antes com o que você tem agora. Samira Thomas continua: "Dessa paisagem eu tiro a lição de que não preciso ser quem eu era antes, que posso manter simultaneamente minhas cicatrizes e minha alegria. Não preciso escolher entre me dobrar ou me partir, mas através da paciência posso ser transfigurada."[2]

"Recuperação" no luto não é superar. Não é resiliência nem retorno à vida "normal". Recuperação tem a ver com ouvir suas feridas. Recuperação é ser honesto com o estado da sua devastação. Tem a ver com cultivar paciência, não do tipo que implica esperar a volta ao normal, e sim paciência em saber que o luto e a perda vão abrir caminho em você, modificando-o. Criando um tipo de beleza próprio, à maneira deles.

A recuperação dentro do luto é um ponto de equilíbrio em constante movimento. Não é nenhum ponto final. Ainda que não vá ser sempre tão pesado, seu luto, como o seu amor, sempre fará parte de você. A vida pode ser, e provavelmente será, bela outra vez. Mas é uma vida construída ao lado da perda, permeada tanto pela beleza e pela graça quanto pela devastação, e não uma vida que busque apagá-la.

Se falarmos sobre a recuperação de uma perda como um processo de integração, de conviver com o luto em vez de superá-lo, poderemos começar a pensar no que pode ajudar você a sobreviver.

Considerando o que não pode ser restaurado, o que não pode ser consertado, como podemos viver assim? Este é o verdadeiro trabalho de recuperação do luto: encontrar maneiras de conviver com sua perda construindo uma vida nos limites do que sempre será um espaço vazio.

MAS ESPERE, EU NÃO QUERO *MELHORAR*

Lembro da primeira vez que gargalhei de verdade depois da morte de Matt. Fiquei horrorizada. Como podia esquecê-lo, mesmo que por um instante? Como podia achar alguma coisa engraçada? Parecia uma traição, não tanto a Matt, mas a mim mesma.

Toda a ideia de melhorar, ou até mesmo de integrar a perda, pode parecer ofensiva, especialmente no início do luto. Melhorar pode significar que a pessoa que você perdeu ou a vida que você não tem mais para viver perdeu a importância. Para muitas pessoas, o luto é a conexão mais vital com o que foi perdido. Se a felicidade voltar à sua vida, o que isso significa para o que foi perdido? Será que na verdade não era tão importante, ou tão especial, já que você consegue simplesmente seguir com a vida?

No início do meu luto eu não me preocupava se sentiria para sempre tanta dor. Ficava preocupada com a possibilidade de um dia não sentir. Como a vida poderia continuar? E como eu poderia me perdoar se ela continuasse?

O que posso dizer, vários anos depois da minha perda, é que as coisas ficam diferentes; não ficam "melhores". Em certo sentido, sinto falta daqueles primeiros dias. Sinto falta de sentir nossa vida ainda muito próxima, sinto falta do cheiro dele no armário, de olhar na geladeira e ver as coisas que ele tinha comprado. Naquela época nossa vida a dois ainda parecia próxima. E, naquele estado escancarado do luto inicial, o amor também me parecia muito próximo. Não consertava nada, mas estava ali, presente. Não havia como não perceber a força daquele tempo, por mais sombrio e doloroso que fosse.

Não sinto falta das ânsias de vômito, dos pesadelos, das angustiantes dinâmicas familiares ou do sentimento dilacerado de que não restava lugar para mim no mundo. Olho para aquele antigo eu, aquele velho eu, e, honestamente, a dor que vejo é incrivelmente difícil de testemunhar. Ainda que eu quase sinta saudade de algumas partes daqueles primeiros dias, não sinto saudade da dor visceral.

A dor e meu amor por Matt estavam – estão – conectados, mas não são a mesma coisa.

É verdade que a dor que você sente agora está intimamente conectada ao amor. A dor acabará recuando e o amor permanecerá. Vai se aprofundar e mudar, como acontece com todos os relacionamentos. Não como você queria. Não como você merecia. Mas como o amor sempre muda: de acordo com a própria vontade.

Sua conexão com o que perdeu não vai se esvair. Essa não é a nossa definição de *melhorar*. À medida que você avança, seu luto e, mais importante, seu amor vão com você. A recuperação no luto é um processo de seguir levando junto o que era antes, o que poderia ter sido e o que ainda resta.

Nada disso é fácil.

O luto, como o amor, tem o próprio tempo e a própria curva de crescimento. Como acontece com todos os processos naturais, não temos controle total sobre ele. O que você pode controlar, o que está em seu poder, é como cuidar de si mesmo, que qualidades de amor e presença você se oferece e como viver essa vida que lhe foi dada.

COMO VOCÊ PODE "TER ESPERANÇA" EM MEIO A TUDO ISSO?

Como falei no início deste capítulo, abordar as realidades do luto e ao mesmo tempo oferecer algum tipo de encorajamento é um desafio em especial. Quando falo sobre como o luto pode ser difícil e duradouro, os outros costumam dizer: "Mas você precisa ter esperança!"

A esta altura, provavelmente não é surpresa que eu tenha problemas com o uso da palavra *esperança*. Sempre que leio ou ouço alguém dizer "Você precisa ter esperança", respondo mentalmente: "Esperança de quê?"

Esperança é uma palavra que precisa de complemento: você precisa ter esperança *de alguma coisa*.

Antes de uma perda, muitas pessoas "tinham esperança" de que tudo acabaria bem (por exemplo, esperavam a remissão de um câncer ou que um amigo fosse encontrado são e salvo) e agora não conseguem mais acreditar nesse poder.

Durante o luto, algumas pessoas "têm esperança" de sobreviver a qualquer coisa que tenha acontecido na vida delas. Podem ter esperança de ser felizes de novo um dia. Ou esperança de que a vida vai melhorar a partir de então, ficando ainda melhor do que antes de sofrerem a perda.

Especialmente no início do meu luto, nenhuma dessas definições funcionava para mim. Ter esperança de uma vida melhor parecia errado. Eu amava minha vida. Amava quem eu era na vida. Parecia errado achar que a morte de Matt poderia *melhorar* qualquer coisa. Ter esperança de ser feliz de novo era como deixar uma parte de mim mesma para trás.

Eu não podia ter esperanças de sobreviver, de melhorar ou de ser feliz. As esperanças que eu tinha quando estava na beira do rio evaporaram quando o corpo dele foi encontrado.

Este é o problema da esperança. Com muita frequência é apresentada como um objetivo: esperança de como as coisas serão, como vão ficar depois. O conceito está ligado a um sentimento de controle sobre o resultado físico da vida: o que você espera *ganhar*.

Insistir que tenhamos esperança de algum tipo de resultado positivo é apenas mais um modo de a nossa cultura persistir na transformação e no final feliz. Não posso ter esperança assim.

Se mudarmos nossa visão da esperança, saindo do que podemos ganhar para *como podemos chegar lá*, aí a esperança passa a ser um conceito com o qual eu concordo. Podemos não esperar um resultado concreto específico, e sim ter esperança de viver a experiência da perda de um modo bonito e significativo.

Existem muitas maneiras de viver esse relacionamento sempre mutável com o luto, com o amor, com a pessoa que você perdeu, com você mesmo e com a vida.

A esperança mais autêntica que posso oferecer ou pedir é que você encontre maneiras de ser fiel a si mesmo em meio a tudo isso, a todas essas coisas que estão mudando. Espero que você continue procurando a beleza, espero que encontre e alimente um desejo de ao menos *querer* procurá-la. Espero que você busque sua conexão com o amor, que a busque como sua âncora e sua constante, mesmo quando todo o resto tiver ficado sombrio.

SEGUINDO COM A VIDA: QUAL É A SUA IMAGEM DA RECUPERAÇÃO?

Existe um livro ótimo chamado *Elegant Choices, Healing Choices* (Escolhas elegantes, escolhas de cura), da Dra. Marsha Sinetar. Ele delineia exatamente o tipo de esperança do qual estou falando: em qualquer situação podemos procurar o caminho mais elegante, hábil, compassivo. Desejar isso para nós mesmos, buscar isso, mesmo quando nem sempre alcançamos, é, para mim, o alicerce da esperança e da recuperação dentro da perda.

Recuperação não significa se tornar "novo em folha" ou mesmo superar o luto intenso, e sim viver da melhor forma possível essa experiência, usando o máximo de habilidade, autogentileza e paz de espírito. Recuperação exige paciência e disposição de permanecer em contato com nossos sentimentos, mesmo, e especialmente, quando foram irremediavelmente arrasados.

Do seu jeito e no seu tempo, você encontrará maneiras de integrar essa experiência à sua vida. Ela mudará você, sim. Talvez você sinta mais empatia, já que sabe como as palavras podem ferir, ainda que sejam bem-intencionadas. Isso também pode deixar você mais irritável, com pavio curto para a crueldade ou a ignorância alheias. Na verdade, isso acontece com muita gente: no luto, costumamos nos tornar defensivos, corrigindo e redirecionando pessoas que poderiam causar mais sofrimento ao tentar amenizá-lo.

O luto muda a gente. Resta saber quem você irá se tornar. Não precisa abandoná-lo para viver uma vida nova e bela. O luto faz parte de você. Nosso objetivo é integração, e não supressão.

SOBRE A SOBERANIA

Quer chamemos de recuperação, integração ou qualquer outra palavra, o mais importante é *você* escolher esse caminho.

Com tanta pressão externa para agir diferente no seu luto - mais disso, menos daquilo, você deveria experimentar isso, que tal criar uma fundação ou correr uma maratona? –, pode parecer que sua vida não é mais sua. Todo mundo tem uma opinião. Todo mundo tem uma sugestão de como você poderia dar sentido a essa perda.

Antes da morte de Matt, minha bandeira pessoal era a soberania. Agora é ainda mais. Soberania é ter autoridade sobre nossa vida, tomando decisões baseadas no conhecimento que temos de nós mesmos, livres de regras ou domínio externo. Vivemos em uma cultura opinativa; pode ser difícil lembrar que cada pessoa é especialista na própria vida. Os outros podem ter ideias, sim, mas o direito de reivindicar o *sentido* da sua vida pertence apenas a você.

Como sou muito sensível a esses conceitos, recebo com irritação o fato de qualquer outra pessoa me dizer como minha recuperação deveria ser. Mas se eu pergunto - se eu *me* pergunto - como deveria ser a cura ou a recuperação, a coisa fica muito diferente.

No fim das contas, é o seguinte: se escolhemos algo para nós mesmos como um modo de viver esse luto, isso é perfeito e lindo. Se alguma coisa – até a mesma coisa – for imposta por uma força externa, a sensação provavelmente não será muito boa. A diferença está em quem diz que essa é a escolha "correta".

A vida é sua. Você se conhece melhor. Qualquer escolha que você faça para levar essa vida é a escolha certa. Um dos meus professores costumava dizer: "Não importa qual escolha você faz; importa que a escolha seja a mais verdadeira para você, baseada em quem você sabe que é."

Permanecer fiel a si mesmo, seguir ferozmente seu coração, seu âmago... é o que vai guiar você.

FEITO À SUA IMAGEM

É importante, em especial em um momento tão confuso, dar a nós mesmos uma imagem com a qual viver. Algo para ter esperança. Alguma coisa *nossa*.

Lembre-se: isso não tem a ver com se tornar evoluído. Você não precisava dessa perda. A recuperação, no luto, tem relação com encontrar maneiras de permanecer fiel a si mesmo, respeitar quem você é e o que veio antes e ao mesmo tempo viver os dias e anos que lhe restam. A recuperação está menos no que você *fará* e mais em como você aborda seus sentimentos, como viverá essa vida que lhe foi dada.

Se esse luto for recente, muito recente, talvez esta não seja a hora de pensar sobre recuperação. Por outro lado, se parecer certo cogitar a respeito, questionar-se sobre sua recuperação pode ser um verdadeiro ato de amor e gentileza.

IMAGINE A RECUPERAÇÃO

Existem muitas maneiras de criar uma imagem da sua recuperação. Para começar, você pode escrever suas respostas para estas perguntas:

Uma vez que o que eu perdi não pode ser recuperado, uma vez que o que foi tirado não pode ser devolvido, como seria meu processo de cura?

> Se eu me afastar das normas culturais de "superar a perda", como seria *viver bem essa dor*?
>
> Como vou cuidar de mim?
>
> Que tipo de pessoa eu quero ser, para mim e para os outros?

Ainda que você não saiba o que vai acontecer na sua vida, pergunte-se como quer se *sentir*. Você tem esperança de obter paz de espírito ou um sentimento de conexão consigo mesmo e com os outros? Que tipo de sentimento e de mentalidade você gostaria de cultivar? O que você pode buscar? Em que você encontra esperança?

Se pensar no futuro, como imagina o seu luto? Como o amor e a perda foram integrados? Qual é a sensação de levá-los com você?

Em um nível mais prático, que partes do luto inicial você vai ficar feliz de deixar para trás? Existe alguma coisa que você possa fazer, neste momento, para ajudar a amenizar essas partes ou se liberar delas?

Você pode anotar suas respostas para formular um guia abrangente para esse período de sua vida ou pode se fazer diariamente algumas dessas perguntas, verificando como você enxerga a recuperação em cada momento.

Com certeza não existem respostas fáceis para essas perguntas. As próprias respostas podem mudar com o tempo. Mas refletir sobre seu caminho é um presente que você pode se dar. Ele começa quando você se pergunta: se eu não posso me *recuperar*, como seria o processo de cura? Que vida eu quero para mim?

Se você precisar de ideias sobre como pode ser a recuperação, reveja o que anotou no Capítulo 7: o exercício de bem-estar e mal-estar pode lhe dar algumas pistas.

■ ■ ■

Nesta parte do livro tentei fornecer ferramentas para reduzir o sofrimento e cuidar da dor. Lembre-se de que o luto em si não é problema, por isso não pode ser consertado. O luto é um processo natural, tem uma inteligência própria. Vai se organizar e mudar de estágio sozinho. Quando apoiamos esse processo em vez de tentar sufocá-lo, apressá-lo ou ignorá-lo, o luto se suaviza. Seu trabalho é cuidar de si do melhor modo possível, apoiando-se em qualquer tipo de amor, gentileza e companheirismo que puder. É um experimento. Um experimento em que você foi lançado a contragosto, mas ainda assim um experimento.

Continue praticando os exercícios e as sugestões que compartilhei aqui. Conforme segue a vida após a perda, é bem provável que suas necessidades sejam outras. Revisitar essas ferramentas pode manter você em contato com a forma como seus sentimentos e pensamentos se modificaram durante o luto.

Na próxima parte passamos do processo interior do luto para as nossas necessidades de comunidade, apoio e conexão. É nessa comunidade mais ampla que encontramos o maior conforto e as maiores decepções. Ao sermos honestos sobre o fracasso de nossas redes de apoio, começamos a criar comunidades capazes de testemunhar essas dores que não podem ser curadas.

TERCEIRA PARTE

QUANDO AMIGOS E FAMILIARES NÃO SABEM O QUE FAZER

13

EDUCÁ-LOS OU IGNORÁ-LOS?

Se você é como a maioria das pessoas de luto, tem recebido reações desajeitadas, na melhor das hipóteses, e insultuosas e grosseiras, na pior. Neste livro já falamos sobre as raízes profundas da evasão da dor e a cultura da culpa. Também é importante relacionar tudo isso com sua vida pessoal, para ajudar a entender e corrigir o apoio inútil das pessoas ao seu redor.

Ser tratado com desdém, ser animado ou ser encorajado a "superar" são algumas das piores causas de sofrimento durante o luto.

Existe uma espécie de pegadinha nisso: como não falamos da realidade do luto na nossa cultura, ninguém sabe como ajudar. As pessoas que poderiam nos ensinar a dar apoio não têm energia, interesse ou capacidade para isso, uma vez que também estão de luto. Por isso ficamos empacados: os amigos e familiares querem ajudar, as pessoas enlutadas querem se sentir apoiadas, mas ninguém obtém o que deseja.

Se quisermos nos aperfeiçoar em dar apoio uns aos outros, se quisermos todos conseguir o que desejamos – amar e ser amados –, precisamos falar sobre o que não está funcionando. Não é fácil, mas é importante.

“Aparecer à minha porta dez dias depois da morte da minha filha com um pacote de biscoitos com carinhas sorridentes, me dizendo para sorrir enquanto você ri de um jeito idiota, não vai cativar meu coração partido. Esperar que eu aguente você porque nossa amizade mudou desde que minha filha morreu é mais do que eu consigo administrar. Quando digo que não estou a fim de participar de grandes reuniões sociais (e com *grandes* quero dizer com mais de uma pessoa), por favor, acredite que sei o que posso e o que não posso enfrentar. Minha necessidade instintiva é de entrar em um casulo, me enrolar nesse horror. E não posso fazer isso com você aqui me encarando criticamente, dizendo que estou com raiva o tempo todo. Porra, é isso mesmo, estou com raiva! MINHA FILHA MORREU! Portanto, volte mais tarde, quando estiver disposta a ficar quieta, ouvir e olhar.

E ainda tem o seguinte:

Minha tragédia não é contagiosa; você não vai contrair de mim a morte dos seus filhos. Sei que você não sabe o que dizer. Há alguns meses eu também não saberia. Quer um conselho? Não venha com banalidades para cima de mim. Não comece nenhuma frase com ‘Pelo menos’, porque aí é que você vai testemunhar minha transformação milagrosa na Guerreira do Luto. Vou vomitar teorias do luto em cima de você, dizer que Kübler-Ross foi mal interpretada, que não existe linha do tempo nem estrada nem caminho no luto. Todos estamos sozinhos aqui na escuridão. Vou pedir que, por favor, você fale sobre minha filha. Estou aterrorizada com a hipótese de ela ser esquecida ou de algum modo eu a esquecer. Vou lembrar a você que eu posso cair no choro, mas tudo bem; esta é a minha vida agora. É assim que eu existo, no aqui e agora."

LAURIE KRUG, aluna do *Writing Your Grief*, sobre a morte de sua filha, Kat.

MAS SÓ ESTOU TENTANDO AJUDAR!

"Tudo acontece por um motivo." Que coisa ridícula, vergonhosa, reducionista e horrível para dizer a alguém – quanto mais alguém que está sofrendo. Que motivo pode haver?

"Ele teve uma ótima vida e você teve sorte pelo tempo que passaram juntos. Agradeça e supere." Como se uma ótima vida tornasse certo essa ótima vida ter acabado.

"Pelo menos você sabe que pode ter um bebê. Eu nem consigo engravidar." Quando foi que a morte do meu bebê se transformou em uma história da sua vida?

"Anime-se! Com essa cara, as coisas com certeza parecem piores do que são." Por que pessoas estranhas insistem em dizer que eu deveria estar mais feliz?

As coisas que dizemos uns aos outros... As coisas que fazemos, insistindo que estamos tentando ajudar...

Esta é a resposta mais comum, mais universal, que recebo das pessoas enlutadas: é horrível a forma como são tratadas durante o luto. As pessoas dizem as coisas mais incrivelmente insensíveis e cruéis a quem está sentindo dor. Às vezes intencionalmente. Elas são más, insensíveis e cruéis apenas porque sim. Pelo menos, essas são mais fáceis de ignorar. E as que amam você, as que querem desesperadamente ajudar? As coisas que elas dizem e o modo como ignoram a dor que você sente são muito mais difíceis de enfrentar.

Sabemos que são bem-intencionadas. Vemos isso em seus rostos, ouvimos nas vozes: querem muito melhorar a situação. Como não conseguem, elas se esforçam mais.

Só que você não pode dizer isso. Não pode dizer que elas não estão ajudando. Isso só piora tudo.

APENAS SEJA EDUCADO

Quando falo sobre como apoiamos mal pessoas que estão sofrendo, recebo uma destas duas respostas: os enlutados dizem "Obrigado por dizer isso!" e os não enlutados comentam: "Só estamos tentando ajudar! Por que você é tão negativa?".

A reação defensiva é inevitável: "As pessoas têm boa intenção!", "Só estão tentando ajudar!" e até mesmo "Obviamente você não é evoluída o bastante para entender a mensagem que elas querem passar". As mensagens mais raivosas que recebo são de pessoas que se esforçam para ajudar um ente amado, e aqui estou eu, avisando que elas estão fazendo tudo errado. Argumento que as palavras que usam *insinuam* atitudes dolorosas, más e desdenhosas, quando tudo que elas não querem é causar mais problema. Como posso ser tão insensível, tão negativa, tão incapaz de ver que elas estão fazendo o melhor que podem? Essas pessoas têm boa intenção. Preciso começar a procurar o lado positivo, ser mais agradecida e mais benevolente, parar de soar tão raivosa e má.

O negócio é o seguinte: eu digo a verdade sobre como é se sentir desamparada e ignorada durante o luto. Digo a verdade sobre quanto fracassamos uns com os outros. Não tenho medo de contar o que as pessoas enlutadas em todo o mundo pensam um milhão de vezes por dia. Não tenho medo de rebater em voz alta: "Você não está ajudando!"

Não estou sendo negativa. Estou sendo sincera.

Criamos uma mordaça contra a verdade. Não somente a verdade sobre o luto, mas a verdade sobre como é ser uma pessoa enlutada na nossa cultura. Somos treinados para ser educados. Devemos sorrir, assentir e falar "Obrigada por pensar em mim", quando, por dentro, o que queremos mesmo é gritar: "*Que porra você tem na cabeça para vir aqui me dizer isso?*"

Quando abro um novo espaço comunitário para o curso de escrita, fico pasma com a quantidade de gente que confessa: "Este é o primeiro lugar em que posso ser completamente honesto sobre o meu luto. Ninguém mais quer ouvir sobre isso ou então falam que estou fazendo tudo errado."

Muitas pessoas enlutadas me contam que, em vez de dizer aos outros que suas palavras não ajudam, decidiram não tocar mais no assunto. É uma injustiça gigantesca e desnecessária ter que fingir que está tudo bem porque os outros não gostam de ouvir a verdade, além da dor que você já sente.

Ninguém gosta de ouvir que fez algo errado. Mas, se não podemos ser sinceros sobre nosso estado durante o nosso luto, de que adianta? Se não podemos dizer "Isso não ajuda" sem sermos constrangidos ou penalizados, como as pessoas saberão do que precisamos? Se não chamamos a atenção, se em vez disso sorrimos, assentimos e as desculpamos porque elas são "bem-intencionadas", como poderemos mudar esse comportamento?

Ver sua verdade ser desconsiderada sempre provoca uma sensação ruim. Eu não gostava quando acontecia comigo e odeio quando acontece com você. Não sou imune a ataques de raiva nessas situações.

Pessoalmente, acredito no que os místicos chamam de "ira santa": a raiva que instiga a dizer a verdade. É a raiva que aponta a injustiça e o silenciamento, não somente para fazer um escândalo, mas porque sabe como a verdadeira comunhão *pode* ser.

"Ira santa" significa ser honesto, não importa quem possa sair ofendido. E, igualmente importante, significa fazer isso a serviço de mais amor, mais apoio, mais afinidade e conexão verdadeira.

Eu passo muito tempo falando da realidade do auxílio inútil ao luto porque quero que isso melhore. Preciso que melhore. Você também. E os milhões de pessoas que entrarão neste mundo do luto depois de nós. Isso precisa melhorar. Portanto, temos que começar a dizer a verdade.

Não basta argumentar que "as pessoas têm boa intenção". Não basta alguém dizer que quer dar conforto, mas insistir em usar palavras que soam desdenhosas ou grosseiras.

Se alguém quer mesmo ajudar você durante seu luto, precisa estar disposto a ouvir o que não ajuda. Precisa estar disposto a sentir o incômodo de não saber o que dizer ou como dizer. Precisa estar aberto a comentários. Caso contrário, não está realmente interessado em ajudar, apenas em *parecer* que ajuda. Há uma diferença.

Ninguém sabe a coisa certa a dizer. Por isso é importante ter esses diálogos. Não para fazermos do modo certo, mas para fazermos de um modo melhor.

DECIDINDO QUEM MERECE ATENÇÃO E ESFORÇO

É importante educar as pessoas sobre a realidade do luto, mas às vezes não dá para ter certeza se elas entendem ou não. Às vezes, parar de tentar explicar pode facilitar as coisas para você. Pare de fazer isso com a maioria das pessoas. O truque é decidir quem merece seu tempo e sua energia e quem pode ser ignorado em segurança. Depois que escolher quem merece atenção, ajude essas pessoas a ajudarem você – sem acrescentar mais estresse à sua mente e ao seu coração.

Nada disso é fácil.

Se o que eu digo aqui ajudar você a educar e informar as pessoas gentis e bem-intencionadas na sua vida, ótimo.

Mas, se você não tem de onde tirar energia para educar e informar, deixe que eu faça isso. Use este capítulo e o próximo (e o apêndice "Como ajudar um amigo de luto") para auxiliar as pessoas ao seu redor a entender, ainda que só um pouquinho, como é viver esse luto. Nós podemos educá-las juntos.

TODO MUNDO FAZ SUPOSIÇÕES

Quantas vezes alguém chegou para você e disse "Você deve estar se sentindo tão ____________ (preencha a lacuna)" ou "Vi você aí na fila, pensando no seu marido. Deu para notar, pelo seu olhar perdido"?

Ou você descobre, dias ou semanas depois, que uma pessoa ficou magoada quando você não reagiu de determinado modo ou porque você não parecia querer falar com ela. E você nem se lembra de tê-la visto.

Ou as pessoas fazem longos discursos sobre como lidar com sua dor, porque foi isso que elas fizeram quando ______________ (preencha a lacuna) aconteceu com ela. Como é espantosamente estranho ouvir que você precisa sair para dançar depois da morte do seu filho porque foi isso que a pessoa fez depois do divórcio.

Lembro que muitas pessoas não enlutadas comentavam sobre eu encontrar outro companheiro, que um dia minha vida voltaria a ser ótima e que Matt ia querer que fosse assim. Elas tentavam me estimular, resolvendo problemas para mim – problemas que eu não tinha mencionado e não estava tendo.

Com muita frequência, pessoas de *fora da nossa experiência* querem nos dizer como é o luto: o que significa, qual é a sensação, como *deveria* ser a sensação. Baseiam-se nas próprias vivências, em suas suposições sobre o que estamos enfrentando, e oferecem apoio de acordo com seus pontos de vista. Depois levam nossas reações – ou nossa falta de reação – para o lado pessoal, atribuindo significados sem nunca rever as próprias suposições.

Fazer suposições é normal. Todo mundo faz isso.

Na vida cotidiana, nossa realidade costuma ser muito diferente do que os outros presumem. No luto, a distância entre a suposição e a realidade é ainda maior. Existe muito espaço para os mal-entendidos e muito pouco interesse ou energia da parte do enlutado para acompanhar ou corrigir esses mal-entendidos. Tudo isso só aumenta a experiência exaustiva do luto.

Estando de luto ou não, provavelmente existem na sua vida pessoas muito diferentes, desde as gentis e carinhosas até as indiferentes, egoístas e estranhas. Existem pessoas que não se importam nem um pouco com a sua dor e outras mais preocupadas em ser consideradas úteis e importantes do que em *ser* úteis de fato. O trauma e a perda também provocam reações de voyeurismo em algumas pessoas, ainda mais se sua perda se tornou pública e apareceu no noticiário.

Todas essas pessoas, até mesmo as incríveis, agem de forma estranha e desajeitada diante do luto. Elas apenas demonstram isso de maneiras diferentes.

É tentador descartar todo mundo: ninguém entende. A vida no

luto pode parecer uma mudança para outro planeta ou o faz desejar essa mudança.

Seria ótimo conseguir apenas transmitir, sem precisar conversar, a realidade dessa perda na sua vida. Fazer as pessoas sentirem, só por 30 segundos, o que você suporta a cada instante de cada dia. Isso explicaria muitos mal-entendidos. Impediria que muita "ajuda" inútil chegasse aos seus ouvidos. Mas não tem como. Temos palavras, descrições e tentativas intermináveis de ser compreendidos e de compreender.

A necessidade excessiva e implacável de descrever sua dor para alguém ou de corrigir as suposições dos outros, para que eles possam apoiar você melhor, é uma das crueldades intrínsecas ao luto.

COMPARTILHAR OU NÃO: COMO CONTAR SUA HISTÓRIA AOS OUTROS?

Nos primeiros dias depois da morte de Matt eu contava a todo mundo o que havia acontecido. Não conseguia evitar. Chorava facilmente e com frequência. As pessoas perguntavam e eu contava. Depois de um tempo, isso começou a parecer esquisito e errado, como se fosse exposição demais divulgar tantas informações. Fiquei cansada das perguntas intrusivas, dos olhares de pena, da mão pousada suavemente no meu braço enquanto um desconhecido ouvia atentamente os detalhes da minha vida.

E, para ser honesta, nem todo mundo merecia saber coisas tão íntimas.

Na sua vida existem pessoas que não merecem saber sobre seu luto ou sobre quem você perdeu?

Estou me referindo a pessoas que não lidam com a informação com a habilidade, o cuidado e a bondade que ela merece. São pessoas que reagem a essa informação delicada com a delicadeza de um elefante furioso: trombando, fazendo perguntas ou, pior, tratando a história toda com desdém.

Também existem ocasiões em que você quer ficar de cabeça baixa, pegar suas compras, passear com o cachorro e não sentir que precisa mergulhar no luto quando alguém para você na rua e pergunta: "Como você está *de verdade*?"

Algumas pessoas acham que precisam responder a qualquer pergunta sobre como estão passando, independentemente do nível de relacionamento que têm.

Muita gente se sente mal por não mencionar a pessoa que perdeu, como se a estivesse apagando ao não falar dela, negando a posição central que ela ocupou em sua vida. Outras ficam mal ao fugir de perguntas que preferem não responder.

Como acontece em todos os outros momentos da vida, você não precisa fazer nada que vá de encontro à sua segurança, seja física ou emocional.

Se optar por não revelar sua intimidade, seu sofrimento ou mesmo os acontecimentos, você não está traindo quem perdeu. Ainda que pareça estranho falar de outros assuntos que não o buraco gigantesco que se abriu em sua vida, responder "Estou bem, obrigado" a uma pergunta rotineira quando você não está nem um pouco bem é uma gentileza consigo mesmo. *Pode* ser uma gentileza.

Nem todo mundo merece ouvir sobre seu luto. Nem todo mundo é *capaz* de ouvir. Só porque alguém tem a consideração de perguntar, não significa que você tem a obrigação de responder.

Parte de viver com o luto é aprender a discernir quem é seguro e quem não é, quem vale a pena e quem não vale. Parte de viver com o luto também é aprender a discernir qual é o momento certo para compartilhar seu sofrimento com os outros.

Tudo bem ter cautela a respeito do que você compartilha e com quem. Seu luto não é um livro aberto e não precisa ser. Quando, onde e com quem você compartilha seus sentimentos é algo que vai mudar com o tempo, e às vezes em um mesmo dia, mas você sempre pode decidir.

Você deve manter por perto aquelas pessoas que apoiam suas necessidades mutáveis. As outras? Podem ser deixadas de lado.

– O bebê morreu.

– Ah, meu Deus, sinto muito. – Ela ofega. Pede muitas desculpas e acredito que sejam sinceras. Mas ela não vai embora. – Como aconteceu isso? – pergunta.

Ela e eu nos encaramos. Essa mulher está falando sério? Espera que a gente reviva as últimas 48 horas para satisfazer sua curiosidade?

Respondemos porque achamos que é o certo. Porque acreditamos em tudo que o hospital relata. Suportamos tudo que acontece conosco e ao redor porque não conhecemos uma alternativa. Porque estamos em choque. Afinal, quem está preparado para lidar com um bebê morto?

Não é da nossa natureza ser grosseiros a ponto de dizer: "Não é da sua conta, porra." Por isso, contamos a ela. Acidente com o cordão umbilical. Respostas curtas, entrecortadas. Esperando que ela pare. Esperando que ela vá embora.

BURNING EYE, em seu ensaio "Milk", no site glow in the woods

O LUTO REORGANIZA SUA LISTA DE CONTATOS

É uma declaração meio idiota, mas é verdade. É incrível a quantidade de pessoas que sai da sua vida depois de uma perda catastrófica. Pessoas que estiveram com você nos bons e nos maus momentos desaparecem de repente ou passam a ser desdenhosas, críticas, estranhas. Desconhecidos aleatórios se tornam sua maior e mais profunda fonte de conforto, nem que seja apenas por alguns instantes.

Este é um dos aspectos mais difíceis do luto: perceber quem não consegue acompanhá-lo nesse período. Algumas pessoas se afastam e desaparecem. Outras são tão desprovidas de noção, tão cruéis (intencionalmente ou não), que é você quem opta por se afastar delas.

Abandonei muita gente depois da morte de Matt. Simplesmente não conseguia mais tolerá-los: uma morte súbita – acidental – e suas consequências enfatizam até mesmo a menor incompatibilidade de relacionamento. Por outro lado, ganhei muitas pessoas cuja delicadeza e cujo amor me surpreenderam, me auxiliaram, me ajudaram a sobreviver. Já um pequeno punhado dos meus amigos mais queridos permaneceu ao meu lado o tempo todo, através daqueles dias brutais e além.

O luto pode ser incrivelmente solitário. Mesmo quando as pessoas se apresentam e lhe oferecem amor de todo o coração, não estão com você de fato. Não podem estar. É lamentável que, em grande parte, você *esteja* sozinho nessa. E, ao mesmo tempo, você não pode passar por isso sozinho.

Talvez você descubra que pessoas entram e saem da sua vida durante esse período. Algumas foram fundamentais naquelas primeiras semanas e depois acabaram voltando para a própria vida, as próprias necessidades. Elas entraram na minha vida por um tempo e então nos afastamos mutuamente. Doía o fato de elas terem suas vidas intactas para as quais voltar, mas durante um tempo eu fui importante para elas e sabia disso. Boas pessoas vão se aproximar, se puderem, pelo tempo que puderem. O afastamento delas não é um fracasso, mesmo doendo.

Se existem pessoas que você ama e que amam você, mas esse negócio do luto está deixando as coisas meio estranhas, tudo bem. O luto dificulta tudo, e os relacionamentos não estão imunes. Haverá pessoas capazes de enfrentar as partes tempestuosas do relacionamento, que estarão ao seu lado. Com sorte, o laço de amor e de confiança será resiliente, dando-lhe uma rede de segurança.

Só que nem todo mundo vai estar com você. Nem todo mundo *deve* estar com você.

Isso é verdade em todos os aspectos da vida, porém mais ainda no luto: não há tempo para relacionamentos que nos diminuem, constrangem ou desamparam. Este é o seu luto. Sua perda. Sua vida. Honestamente, não é hora de consertar relacionamentos ou ser socialmente elegante. Não importa se algumas pessoas *acham* que estão ajudando: se suas palavras de apoio parecem desdenhosas, críticas ou simplesmente erradas, você não precisa mantê-las por perto.

Se existem pessoas na sua vida que causam mais mal do que bem, você pode afastá-las. Sua vida agora é muito diferente e algumas pessoas simplesmente não se encaixam.

Para quem não consegue acompanhar você na transição para essa nova vida, que, aliás, você não pediu, tudo bem se despedir, dar adeus à amizade que vocês compartilharam e deixar que partam. A culpa não é de ninguém. Faz parte do luto. Às vezes a melhor forma de amor é deixar as pessoas partirem.

> Pessoas traumatizadas começam a se recuperar no contexto de relacionamentos: com parentes, entes queridos, reuniões dos Alcoólicos Anônimos, organizações de veteranos, comunidades religiosas ou terapeutas profissionais. O papel dessas pessoas ou grupos é proporcionar segurança física e emocional, inclusive para que a vítima não se sinta envergonhada, censurada ou julgada, além de infundir-lhe coragem para tolerar, enfrentar e processar a realidade do que aconteceu.
>
> BESSEL VAN DER KOLK, *O corpo guarda as marcas*

AFASTE-SE DA CONFUSÃO: COMO PARAR DE DISCUTIR SOBRE O LUTO

Na verdade, é uma gentileza afastar algumas pessoas da sua vida quando você está sentindo uma dor tão grande. E as pessoas que você não pode isolar, aqueles pilares permanentes que não lhe dão nenhum apoio? E aquelas que insistem em animar você ou conferir se já superou o acontecido? Você nem sempre pode se afastar dos familiares ou das pessoas em sua comunidade.

Uma leitora me mandou a seguinte pergunta: "Como posso lidar com pessoas que esperam que eu já tenha 'superado' o que aconteceu? Meu noivo morreu há quase dois anos. Como posso convencê-las de que não tem problema nenhum eu não ter 'superado'?"

Ainda que essa pergunta tenha sido enviada por uma leitora, muita gente passa por esse problema. Um grande número de pessoas espera que você já tenha superado ou vá superar em um futuro muito próximo.

Elas não conseguem entender sua situação, como é viver dentro do luto. Querem sua "antiga versão" de volta, sem entender que aquela versão não pode voltar. Ela não existe mais.

É muito tentador, muito fácil, ser arrastado para discussões ou defender seu direito ao luto.

O negócio é que, não importa quanto você diga, não importa quanto você tente educá-las, essas pessoas *não conseguem* entender. Por mais tentador que seja lhes dar uma surra verbal (mesmo que educadamente), suas palavras jamais atingirão o alvo.

Então o que é possível fazer?

Às vezes fica mais fácil para você, para seu coração e sua mente apenas parar de tentar explicar.

■ ■ ■

Recusar-se a explicar seu sofrimento ou defender seu luto não significa deixar as pessoas falarem ininterruptamente sobre ele, dizendo o tempo todo como você deve viver. Estou falando de sair da discussão apenas recusando debates sobre se o seu luto contínuo é *válido*.

Defender-se de alguém que não consegue entender é um desperdício de tempo e de sentimentos.

O importante aqui é lembrar que o seu luto, como o seu amor, pertence a você. Ninguém tem o direito de ditar, julgar ou repudiar aquilo que você tem para viver.

Só que o fato de não terem o direito de julgar não as impede de fazer isso.

O que isso significa é: se você quiser parar de *ouvir* o julgamento delas, vai precisar explicar seus limites. Vai precisar deixar claro que seu luto não está aberto a discussões.

TENTE ISTO

AFASTE-SE

Embora seja mais fácil falar do que fazer, existem passos que você pode dar para se afastar do debate:

1. Responder às preocupações da pessoa com clareza e calma.
2. Explicar seus limites.
3. Redirecionar a conversa.

Esses três passos, quando usados com consistência, podem reduzir significativamente a quantidade de crítica que chega aos seus ouvidos. Veja como pode ser na prática:

Primeiro, reconheça a preocupação da pessoa e presuma uma intenção amistosa: "Agradeço seu interesse pela minha vida."

Segundo, explique seus limites: "Vou viver isso do jeito que me parecer certo e não quero discutir o assunto."

O primeiro e o segundo passos – abordar as preocupações da pessoa e explicar seus limites – costumam se combinar em uma declaração: "Agradeço seu interesse pela minha vida. Vou passar por isso como me parecer certo e não quero discutir o assunto."

Essa estratégia pode ser mais eficaz se você continuar com o terceiro passo, que é redirecionar a conversa, ou seja, mudar de assunto: "Fico feliz de conversar sobre outra coisa, mas isso não está aberto a discussões."

Pode soar duro e estranho, eu sei. Mas a mensagem – inclusive o tom formal – é que você tem um limite definido e não permitirá que ele seja ultrapassado.

Se na sua vida existem pessoas que não aceitam esse limite sem argumentar, você pode se ater a uma frase feita – "Não vou discutir esse assunto" – e em seguida levar a conversa para outra coisa.

Se a pessoa não mudar de assunto, você pode encerrar a conversa: afaste-se ou se despeça e desligue o telefone.

O importante é não permitir que arrastem você para a batalha. Seu luto não é uma discussão. Não precisa ser defendido.

A princípio, é esquisito, mas estabelecer seus limites e redirecionar a conversa vão se tornar muito mais fáceis com a prática.

Com o tempo, as pessoas na sua vida vão captar a mensagem - não que você não precisa superar, mas que *você não se dispõe a discutir o assunto* - ou vão se afastar. Mesmo as que parecem fixas e permanentes vão se afastar, se for preciso.

O fato é que o luto vai reorganizar seus relacionamentos. Algumas pessoas vão permanecer, outras vão se distanciar. Algumas que você achava que sempre estariam ao seu lado vão desaparecer. Relações distantes podem surgir e lhe dar apoio de maneiras que você não imaginaria.

Se as pessoas na sua vida puderem enfrentar, até mesmo apreciar, o fato de você permanecer fiel ao seu coração, elas vão seguir com você. Se não puderem, deixe que se vão: com elegância, *firmeza* e amor.

14

MONTANDO SUA REDE DE APOIO

Ajudando as pessoas a ajudar você

Nossos amigos, nossos familiares, nossos terapeutas, nossos livros, nossas reações culturais... são mais úteis, mais amorosos e gentis quando ajudam as pessoas enlutadas a suportar sua dor e são menos úteis quando tentam consertar o que não tem defeito.

A maioria das pessoas quer ajudar; só não sabe como.

Há uma lacuna entre o que as pessoas querem nos oferecer e o que de fato proporcionam com seu apoio. Na verdade, não é culpa de ninguém. O único modo de fechar essa lacuna é fazê-las entender o que funciona e o que não funciona e o que podemos fazer para melhorar nossas habilidades de cuidar uns dos outros.

Só porque o seu luto não pode ser curado, não significa que não haja nada que sua rede de apoio possa *fazer*. Existem maneiras tangíveis e concretas de apoiar as pessoas de luto. Só é necessário prática e disposição para amar uns aos outros de maneiras novas e diferentes.

Ao afastar o foco de curar seu luto para dar apoio a você *no* luto, os amigos e familiares podem chegar muito mais perto de demonstrar o amor que sentem. Eles podem melhorar nisso, mesmo se não puderem ser perfeitos.

Quero que você possa entregar este livro a amigos e familiares que queiram ajudar. Quero que você aponte para eles as diretrizes e sugestões deste capítulo, de modo que não precise gastar energia explicando suas necessidades. As ferramentas aqui vão ajudá-los a aprender como amar você nessa situação, como caminhar ao seu lado, dentro da sua dor, sem tentar alegrar você.

Este capítulo, mais do que qualquer outro, é direcionado a sua rede de apoio e não diretamente a você.

> Quando o filhinho da minha amiga Chris morreu, eu contei a ela que meu terapeuta costumava pedir ao nosso grupo que "fosse como os elefantes" e se reunisse em volta do indivíduo ferido. Eu sabia que não podia ajudá-la a processar o luto, mas podia estar presente, a princípio apenas como um corpo sentado perto dela, mais tarde como uma voz ao telefone. Ela contou aos amigos sobre os elefantes e as pessoas começaram a lhe dar pequenos presentes ou cartões com elefantes dizendo apenas "Estou aqui". Reúna seus elefantes, meu amor. Nós estamos aqui.
>
> GLORIA FLYNN, amiga da autora, em um recado pessoal

MUDANDO A VISÃO DO LUTO COMO PROBLEMA A SER RESOLVIDO PARA UMA EXPERIÊNCIA QUE PRECISA DE APOIO

Se você está se sentindo frustrado ou impotente diante do luto de alguém, é normal. Não é sua culpa não saber o que fazer ao encarar uma grande dor seja em você ou em alguém que você ama. Nossos modelos são defeituosos.

Na cultura ocidental temos um modelo médico que diz que a morte é um fracasso. Temos um modelo psicológico que diz que qualquer outra coisa que não seja um patamar de "felicidade" estável é uma aberração. Doença, tristeza, dor, morte, luto: todas essas coisas são consideradas problemas que precisam de solução. Como podemos lidar com o luto com habilidade quando todos os nossos modelos mostram a abordagem errada?

O luto não é problema. Não precisa de solução.

Enxergar o luto como uma experiência que precisa de apoio, e não de solução, muda tudo.

Pode parecer uma mudança pequena, apenas de vocabulário. Pense no ônibus espacial: dois graus de diferença na posição de largada no solo se traduzem em milhares de quilômetros de desvio de rota no espaço. O alicerce em que você se apoia ao abordar o luto influencia tudo: você alcançará o seu objetivo verdadeiro (amar e apoiar as pessoas na sua vida) ou sairá voando loucamente, fora de rumo.

Por exemplo: se você acha que o luto é um problema, vai oferecer soluções: *Você devia se livrar das roupas dela. Ele está num lugar melhor, portanto tente ficar feliz. Você não pode só ficar parada e triste o tempo todo; eles não iam querer vê-la assim. Talvez você devesse sair mais.* Você vai encorajar a pessoa enlutada a seguir suas sugestões porque está tentando aliviar a dor dela; ela tem um problema e você está se esforçando para resolvê-lo. Você sente frustração porque a pessoa parece ficar na defensiva. Ela não quer seus conselhos.

Quanto mais você tenta ajudar – ou seja, consertar –, mais obstinada ela se torna. Obviamente ela não quer melhorar.

A pessoa enlutada, por outro lado, sabe que seu luto não é algo que deva ser consertado. Sabe que não há nada de errado com ela. Ela não tem um "problema". Quanto mais os outros tentam consertar seu luto, mais frustrada (e na defensiva) ela fica. A pessoa de luto se sente frustrada porque não precisa de uma solução. Precisa de apoio. Apoio para sobreviver ao que está acontecendo. Apoio para suportar o necessário.

Pessoas enlutadas gastam muita energia defendendo seu luto em vez de se sentirem apoiadas na experiência. Aqueles que querem dar apoio se sentem indesejados, desvalorizados e absolutamente impotentes. Nada está funcionando.

Mesmo quando você tem boa intenção, tentar consertar o luto sempre vai dar errado. Isso pode ser difícil de ouvir, mas, se você quer mesmo ser útil e dar apoio, precisa parar de pensar que o luto é um problema a ser resolvido.

Quando se passa a pensar no luto como uma experiência a ser apoiada, amada e testemunhada, podemos *realmente* falar sobre o que ajuda. Quando estamos juntos e alinhados, nossas palavras e ações podem ser solidárias e úteis.

A boa notícia é que existem habilidades para isso. Só porque não existem *muitos* modelos de como apoiar alguém, não significa que não exista *nenhum*. Há coisas que você pode fazer, não para acabar com o luto do amigo, mas para ajudá-lo a sentir-se amparado e amado enquanto o vivencia.

NOVOS MODELOS E BONS EXEMPLOS

Neste capítulo vamos tocar em muitos assuntos. Primeiro quero agradecer a você por estar aqui, por querer ajudar. Estar perto de alguém de luto é um trabalho incrivelmente duro. Nada disso é fácil. Pode ser desconfortável ouvir o que não ajuda, especialmente quando suas intenções são boas. De tudo que dissermos aqui, por favor, lembre que, ao querer dar apoio, ao querer fazer o enorme, profundo, pesado e difícil trabalho de amar alguém de luto, você já está fazendo uma coisa boa.

Passo muito tempo falando sobre como falhamos em apoiar as pessoas de luto. Mas não basta apenas informar o que deu errado. Para avançarmos juntos, precisamos de uma imagem do que realmente significa dar amparo no luto, ou do que poderia significar: um cenário para vivenciar.

Quando alguém fratura um osso, é preciso usar um apoio de gesso para ajudá-lo a se curar. É preciso apoio externo para realizar o processo intrincado, complexo e difícil de crescer de novo. Sua tarefa é fazer parte desse gesso para seu ente querido, e não realizar a emenda propriamente dita. Não oferecer conversas inspiracionais para o membro machucado dizendo como ele vai voltar a ficar ótimo. Não oferecer sugestões sobre como o osso pode se recuperar. Sua tarefa é estar ali, envolvendo o que está quebrado.

Seu trabalho, se você optar por aceitá-lo, é testemunhar uma coisa bela e terrível e resistir à ânsia humana de consertá-la.

E isso é difícil.

APRENDENDO A TESTEMUNHAR

Mesmo sabendo o que sei, mesmo com o que eu mesma vivi, mesmo com o que os meus alunos me contaram, ainda me pego tentada a receber a dor de alguém com palavras de conforto. Essas banalidades batidas e condolências vazias, como "Pelo menos você deu a ele uma vida boa" ou "Isso também vai passar", ainda me vêm à mente.

Mesmo com tudo que sei sobre a realidade do luto, sobre o que ajuda e o que não ajuda, *ainda* quero tentar amenizá-lo.

Todos temos o impulso de ajudar. Vemos o sofrimento e queremos que ele passe. Enxergamos a dor e queremos intervir. Queremos que as coisas fiquem bem. O impulso de amar e consolar é humano. Faz parte do motivo para estarmos aqui.

Não gostamos de ver as pessoas que amamos sofrendo.

Quando peço que você reaja de modo diferente, não estou dizendo para suprimir o impulso de amenizar a dor de alguém. Seria impossível. O que estou pedindo é que perceba seu impulso de melhorar as coisas e depois... não faça nada a respeito. Faça uma pausa antes de oferecer apoio, orientação ou encorajamento.

Nessa pausa você pode decidir qual é a melhor atitude. Reconhecer a realidade da dor costuma ser uma reação muito melhor do que tentar consertá-la. Testemunhar é o que costuma ser mais necessário. A pessoa precisa ser ouvida? Precisa que a realidade da grande merda da situação seja validada e refletida?

Parece contraintuitivo, mas você será mais útil para uma pessoa sofrendo se *deixar que ela sofra*. Deixar que ela compartilhe a realidade de quanto dói, de quão difícil é, sem tentar ignorar a dor, diminuí-la ou fazer com que passe. Essa pausa entre o impulso de ajudar e a ação permite que você aborde a dor com habilidade e amor. Esse tempo permite que você lembre que seu papel é testemunhar, e não solucionar problemas.

É muito mais difícil dizer "Isso é uma bosta e não posso fazer nada, mas estou aqui e amo você" do que oferecer aquelas palavras de conforto padronizadas. É muito mais difícil, mas ao mesmo tempo muito mais útil, amoroso e gentil. Você não pode curar a dor de alguém tentando amenizá-la. O reconhecimento da dor é um alívio. Tudo se torna mais fácil quando temos permissão de ser sinceros.

Em seu ensaio "The Gift of Presence, the Perils of Advice", o escritor e educador Parker Palmer escreve: "A alma humana não quer ser aconselhada, consertada ou salva. Quer apenas ser testemunhada: vista, ouvida e acompanhada exatamente como é. Quando fazemos esse tipo de reverência profunda à alma de alguém em sofrimento, nosso respeito reforça os recursos curativos da alma, os únicos recursos que podem ajudar quem sofre a passar por isso."[1]

Como os místicos costumam dizer, todos estamos rodeados por uma nuvem de testemunhas. Diante da dor que não pode ser consertada em nós mesmos, nos outros ou no mundo, somos chamados a testemunhar. A reconhecer quanto realmente dói, às vezes, estar aqui. Quanto a vida exige de nós.

O papel da rede de apoio é reconhecer e acompanhar quem está sofrendo, e não tentar fazer a pessoa melhorar. Essas são habilidades de alto nível. Nem sempre são fáceis de praticar. Mas *são simples*: apenas estar presente. Ouvir. Não consertar.

Às vezes somos desajeitados enquanto estamos aprendendo novas habilidades. Tudo bem.

■ ■ ■

As pessoas de luto decerto acham melhor que você se atrapalhe em suas tentativas de testemunhar do que fique afirmando, confiante, que as coisas não são tão ruins quanto parecem.

Nem sempre você pode mudar a dor, mas pode mudar o modo como *ouve* a dor, como *reage* à dor. Quando a dor existe, deixe-a existir.

Testemunhe. Permita que a outra pessoa diga "Estou sofrendo", sem se apressar para amenizar. Abra espaço para o outro.

Como um apoiador, o que é pedido de você é o companheirismo no luto. Ao não oferecer soluções para o que não pode ser solucionado, você pode melhorar as coisas, mesmo quando não puder resolvê-las.

COMO NOS TORNAMOS PESSOAS QUE "ENTENDEM"?

É difícil amar alguém que está sofrendo. Eu sei.

Seria ótimo ter um código, um distintivo ou algo do tipo que alertasse as pessoas sobre a situação difícil, muitas vezes sem possibilidade de vitória, que é apoiar alguém em sofrimento. Quando Matt morreu, eu queria um *botton* com a inscrição: "Por favor, desculpe meu comportamento. Meu companheiro acabou de morrer e estou perdida."

Seria ótimo se as pessoas viessem com instruções de cuidados: *Quando eu ficar triste, por favor, faça isso. Você saberá que deve recuar quando me vir fazer ou dizer as seguintes coisas.* Infelizmente (ou felizmente) não conseguimos ler pensamentos. Podemos ouvir o que os outros precisam dizer exercitando a atenção e a comunicação aberta em nossa vida em todos os nossos relacionamentos.

Como qualquer outra habilidade, testemunhar a dor ficará mais fácil com a prática. Saber como reagir vai se tornar mais intuitivo. O que parece desajeitado e vulnerável acabará se tornando... não fácil, mas muito, muito menos difícil.

Essas são habilidades das quais você sempre vai precisar. Você vai experimentar e testemunhar a dor com frequência. Desde pequenas situações estressantes até perdas catastróficas, há luto em toda parte.

O chamado a testemunhar a dor alheia é algo que todos precisamos aprender. Se você já consegue fazer isso em outras áreas da sua vida, faça no luto do seu ente querido. Quanto maior é a dor que você precisa testemunhar, mais tentador é tentar amenizá-la. Fique imóvel. Tudo bem se encolher diante da dor que estamos sentindo; apenas, por favor, não dê as costas a ela. E não peça que os enlutados façam isso.

CHEGA DE PALAVRAS BONITAS, QUAIS SÃO AS HABILIDADES?

É importante falar sobre o alcance maior e mais profundo do que significa acompanhar alguém no luto. Ao mesmo tempo, precisamos de coisas tangíveis, concretas, para *fazer* diante da dor de alguém. Não basta apenas ficar perto e exalar amor. (Quero dizer, faça isso, mas há outras coisas.)

Apareça, diga algo

Acontece uma dança complexa entre o enlutado e sua rede de apoio: a maioria das pessoas quer apoiar, mas não quer se intrometer. Ou morre de medo de piorar a situação, por isso não diz nada. Elas se afastam para não correr o risco de uma relação problemática.

Em um artigo para o jornal *The Guardian*, o escritor Giles Fraser chama isso de "solidão dupla": além da perda do ente querido, a pessoa enlutada perde a conexão e a aliança com as pessoas ao redor.[2] Por medo de piorar tudo, as pessoas somem e ficam em silêncio quando mais precisamos delas.

Eu costumava dizer aos meus amigos que eles não tinham como vencer. Se me ligavam com muita frequência para saber como eu estava, estavam me sufocando. Se não ligavam o suficiente, estavam me abandonando, me ignorando. Se eu encontrasse alguém no mercado e a pessoa não comentasse nada, eu me sentia invisível. Se a pessoa quisesse conversar sobre minha situação, bem ali na seção de legumes e verduras, eu me sentia invadida.

Cuidar dos outros é difícil. Às vezes é uma tremenda confusão.

O importante é lembrar que não precisamos que você seja perfeito. Tudo bem – mais do que bem – começar uma conversa com "Eu não tenho ideia do que dizer e sei que não posso consertar as coisas". Ou com "Quero lhe dar espaço e privacidade, mas também estou preocupada e quero saber como você está". Mostrar seu desconforto permite que você apareça e se faça presente. Tentar esconder o incômodo só piora as coisas. Da perspectiva da pessoa enlutada, é um grande alívio estar perto de quem se dispõe a ficar desconfortável para continuar presente.

Se você não tem certeza se deveria dizer alguma coisa, pergunte. Se for para errar, que seja pela presença. Seu esforço é notado e apreciado.

Faça isso, não faça aquilo: uma lista conveniente

Quando falo sobre testemunhar e conviver com a realidade, as pessoas geralmente reagem dizendo: "Claro, claro, eu posso fazer isso. Mas o que eu deveria evitar completamente de fazer?"

Sei que você quer um mapa. Todos gostamos de dar passos concretos, especialmente diante da tarefa amorfa, assustadora, de apoiar alguém de luto. No Apêndice há um texto que resume como ser realmente útil durante o luto de alguém. Dê uma olhada nele. E aqui vão mais algumas sugestões:

Não faça: comparar lutos. Todo mundo já experimentou alguma perda na vida, mas ninguém experimentou *este luto*. É tentador oferecer a própria experiência de luto para que a pessoa saiba que você entende. Mas você não entende. Não tem como entender. Ainda que sua perda seja empiricamente muito semelhante, resista à ânsia de usar sua experiência como ponto de conexão.

Faça: Pergunte sobre a experiência da pessoa. Você pode se conectar com alguém demonstrando curiosidade sobre como está sendo para ela. Se você teve uma experiência semelhante, tudo bem dizer que sabe como o luto pode ser bizarro e esmagador. Apenas dê indicações de que você conhece o contexto, não que conhece o caminho específico da pessoa.

Não faça: questionar e corrigir. Especialmente no início do luto, a linha de tempo e as fontes de dados na mente da pessoa ficam confusas e desalinhadas. Ela pode errar datas ou lembrar as coisas de modo diferente de como realmente aconteceram. Você pode ter uma opinião diferente sobre o relacionamento dela ou sobre o que aconteceu quando e com quem. Resista à ânsia de questionar ou corrigir a pessoa.

Faça: Deixe a pessoa passar pela própria experiência. Não importa quem está "mais" certo.

Não faça: minimizar. Você pode achar que o luto do seu amigo é desproporcional à situação. É tentador corrigir o ponto de vista dele para algo que você ache mais "realista".

Faça: Lembre-se de que o luto pertence à pessoa enlutada. Suas opiniões sobre o luto dela são irrelevantes. Ela é quem decide quão ruim é a situação, assim como você é quem toma esse tipo de decisão na sua vida.

Não faça: elogiar. Quando uma pessoa que você ama está sofrendo, ela não precisa ser lembrada de que é inteligente, linda, habilidosa ou fantasticamente boa. Não diga que ela é forte ou corajosa. O luto não é tipicamente uma falta de confiança.

Faça: Lembre-se de que todas as coisas que você ama na pessoa, todas as coisas que você admira, vão ajudá-la a passar por essa experiência. Lembre a ela que você está presente e que ela sempre pode contar com você quando o peso do luto for grande demais para suportar sozinha. Deixe que ela fique arrasada, sem achar que precisa bancar a forte e intrépida com você.

Não faça: bancar a líder de torcida. Quando as coisas estão sombrias, tudo bem se sentir soturno. Nem todo mundo precisa do forte brilho do encorajamento. Igualmente, não encoraje alguém a ficar grato pelas coisas boas que ainda existem. As coisas boas e as horríveis ocupam o mesmo espaço, não se cancelam mutuamente.

Faça: Reafirme a realidade da pessoa. Quando ela disser "Isso é uma grande merda", diga "É mesmo". É incrível quanto isso ajuda.

Não faça: falar sobre "mais tarde". Quando uma pessoa que você ama está sofrendo, é tentador dizer que tudo vai ficar bem no futuro. Neste momento, no presente, esse futuro é irrelevante.

Faça: Permaneça no momento presente ou, se a pessoa estiver falando do passado, junte-se a ela. Permita que ela escolha.

Não faça: proselitismo (primeira parte). "Você devia sair para dançar; foi isso que me ajudou"; "Já experimentou óleos essenciais para se animar?"; "Melatonina sempre me ajuda a dormir. Você devia experimentar". Quando encontramos alguma coisa que funciona para nós, é tentador globalizar essa experiência para todo mundo. Infelizmente, a não ser que a pessoa tenha pedido especificamente uma sugestão ou informação, seus clichês entusiasmados parecerão ofensivos, além de condescendentes.

Faça: Confie que a pessoa tem inteligência e experiência para cuidar de si mesma. Se não está dormindo bem, provavelmente já falou com um médico de confiança ou fez uma busca simples no Google. Se você notar a dificuldade, tudo bem *perguntar* se ela gostaria de saber o que ajudou você no passado.

Não faça: oferecer soluções (proselitismo, segunda parte). Em todas as ocasiões, não somente no luto, é importante obter consentimento antes de dar conselhos ou oferecer estratégias. Na maioria dos casos, a pessoa só precisa ser ouvida e validada em sua dor ou nos desafios que enfrenta.

Faça: Obtenha consentimento. Antes de oferecer soluções ou estratégias, você pode pegar emprestada a pergunta da minha amiga e colega Kate McCombs: "Neste momento você está querendo empatia ou conselhos?" Respeite a resposta da pessoa.

Provavelmente existem um milhão de outros argumentos sobre o que fazer e o que não fazer, mas essa lista é um bom ponto de partida. Não que todos os itens de "não faça" sejam ruins; simplesmente não são eficazes. Quando o seu objetivo é apoiar um amigo, escolha coisas que tenham mais probabilidade de ajudar você a alcançar esse objetivo.

POR QUE NÃO ESTÁ AJUDANDO? ESTOU FAZENDO TUDO CERTO

É preciso saber uma coisa importante: às vezes você pode fazer tudo certo e seu amigo ainda assim se recusar a responder às suas mensagens, comparecer à sua festa ou demonstrar de algum outro modo que sua atenção amorosa está ajudando.

Lembre-se que a prova da "ajuda" não está na redução da dor; está em saber que a pessoa enlutada se sente apoiada e reconhecida em sua dor. Mas, ainda que sua intenção seja ajudar, a coisa pode continuar parecendo bem ruim para seu amigo enlutado.

Sua intenção é importante, mas o que define até que ponto ela dá resultado é como as coisas são sentidas *pela pessoa enlutada.*

Há muito tempo fui professora em um curso sobre conscientização da violência sexual; falava frequentemente sobre o que define o assédio sexual. Alguns anos depois de Matt morrer, eu estava conversando com um amigo editor. Estávamos pensando em como descrever a incompatibilidade entre o que uma pessoa pretende fazer e o que a pessoa enlutada experimenta. Mencionei as semelhanças entre assédio sexual e apoio ao luto. Meu amigo ficou louco diante dessa comparação: "Você não pode dizer a alguém que está tentando ajudar que ela é como um assediador sexual!" Claro que não! Assédio sexual é uma coisa totalmente diferente. O que estou dizendo é que existem correlações: a realidade da situação é definida pela pessoa que *recebe* a atenção, e não pelas intenções de quem dá a atenção. O importante é como a coisa bate. Você não precisa concordar com o modo como a pessoa enlutada se sente sobre o que você disse ou fez, mas precisa respeitá-lo.

Só porque você tem boa intenção não significa que seu amigo receba o gesto desse modo. É sempre importante verificar. Perguntar como as coisas estão indo é um ato de gentileza que ajuda muito a melhorar a situação.

Lembre-se: seu objetivo é prestar serviço e apoiar. Isso significa se dispor a abrir mão do que você *acha* que vai ajudar e demonstrar curiosidade genuína e sensibilidade pelo que a pessoa necessita.

NÃO LEVE PARA O LADO PESSOAL (NÃO SUFOQUE COM SEU AMOR E SUA ATENÇÃO)

Honestamente, quando se trata de apoio ao luto, acho mais fácil educar as pessoas ignorantes do que as dedicadas. Quando um conhecido distante soltava uma banalidade ou um comentário desdenhoso sobre meu luto, eu não tinha problema em corrigi-lo. Mas as pessoas que me amavam, que queriam muito estar presentes, eram quase impossíveis de suportar. Eu não tinha ânimo para corrigir suas suposições ou seus conselhos. Às vezes a atenção delas era exaustiva. No início do luto, seu ente querido tem uma reserva tão baixa de energia que não consegue prestar atenção na amizade de vocês, ou em nada, como de costume. Como sempre digo, o luto é impossível. Ninguém pode vencer.

Agora mesmo falei que você deveria fazer perguntas ao seu amigo, demonstrar curiosidade sobre como é a experiência dele, checar como seus gestos estão sendo recebidos e reavaliar de acordo com a necessidade. Mas, às vezes, quanto mais você procura demonstrar apoio pedindo a opinião da pessoa de modo a ser mais útil, mais ela parece se fechar.

Deixe-me dar um exemplo, porque esse é de fato um território delicado: eu tinha amigos maravilhosos antes da morte de Matt. Amigos emocionalmente capazes, sensíveis, lindos. Às vezes, no início do meu luto, nossas interações foram incrivelmente exaustivas exatamente porque eles queriam saber o que podiam fazer para ajudar. Eles perguntavam. E perguntavam. E perguntavam. Qual o melhor modo de dar apoio. Qual o melhor modo de cuidar. Qual o melhor modo de perguntar, qual o melhor modo de dar espaço. Essa pressão para contar a eles como cuidar de mim era demais. Fez com que eu me afastasse. Eu não tinha energia para articular minhas necessidades. Os repetidos pedidos de respostas e sugestões me exauriam. Às vezes isso me fazia evitar as melhores pessoas da minha vida.

Pense nisso do seguinte modo: essa pessoa de luto falava uma língua que apenas outra pessoa no mundo falava, e essa outra pessoa morreu. É tentador pedir ao enlutado que ensine essa língua de modo que você possa conversar com ele. Não importa quanto você queira falar, devolver o que ele perdeu, ele não pode ensinar a língua. Superar a dor para ensinar sintaxe, gramática e vocabulário e depois poder retornar ao estado de mudez é simplesmente impossível. Ele não tem como fazer isso. Não tem como acessar essa parte da mente que forma lições e oferece respostas.

De certa forma, estou pedindo duas coisas contraditórias: chegue perto e fique longe. Reaja ao seu amigo, tenha curiosidade e sensibilidade pelas necessidades dele. Ao mesmo tempo, não peça que a pessoa enlutada tenha mais trabalho. Observe como ela está recebendo as coisas, mas nos primeiros dias não espere nem exija que ela demonstre as gentilezas normais de relacionamento. Ela não tem essa capacidade. Não adianta pedir à pessoa enlutada que ensine a você o melhor modo de ajudá-la; ela simplesmente não consegue.

É dever da pessoa enlutada falar quando alguma coisa não está ajudando. Mas é improvável que ela faça isso. É responsabilidade da pessoa enlutada pedir o que ela necessita. Mas é improvável que ela faça isso. Aproveite o que você sabe sobre ela da época antes de o luto arrasar sua vida. Use isso como uma bússola.

Não desista.

Eis o que a pessoa enlutada quer que você saiba: amo você. Continuo amando, ainda que minha vida tenha ficado sombria e você sinta que não consegue me alcançar. Por favor, fique.

É um alívio imenso passar um tempo com pessoas que conseguem estar presentes na realidade do luto sem falar muito. É um alívio estar com pessoas capazes de nos acompanhar em qualquer coisa: desde rir feito maníacos até soluçar incontrolavelmente no espaço de alguns minutos. Sua estabilidade, sua presença constante, é a melhor coisa que você pode dar.

Você não pode fazer isso com perfeição, e não esperamos que faça. Só pode seguir na direção de mais amor.

Apreciamos seu esforço por tudo que você fez, por tudo que tentou fazer. Obrigada.

Para mais informações sobre como apoiar pessoas de luto, por favor, leia "Como ajudar um amigo de luto" no Apêndice.

QUARTA PARTE

O CAMINHO À FRENTE

15

A TRIBO DO DEPOIS

Companheirismo, esperança verdadeira e o caminho à frente

Companheirismo, reflexão e conexão são partes vitais da sobrevivência no luto. Como mencionei no início deste livro, apego é sobrevivência. Nós precisamos uns dos outros.

O luto já é uma experiência solitária. Ele reorganiza a sua lista de contatos: as pessoas que você achava que ficariam do seu lado em qualquer circunstância desapareceram ou se comportaram tão mal que você mesmo as afasta. Nem mesmo as que amam você de verdade, que acima de tudo querem estar ao seu lado, conseguem compreendê-lo. Pode parecer que você perdeu o mundo inteiro junto com a pessoa que morreu. Muitas pessoas enlutadas sentem que estão em outro planeta ou que gostariam de ir para outro planeta. Para algum lugar em que existam outros como elas. Pessoas que entendem.

Todos precisamos de um lugar onde possamos dizer a verdade sobre como a situação é difícil. Todos precisamos de um lugar onde possamos compartilhar o que está acontecendo, sem nos sentirmos penalizados ou ficarmos convencidos a abrir mão de qualquer coisa. Ainda que alguns amigos e familiares possam cumprir esse papel, descobri que é a comunidade de outros enlutados que entende tudo melhor.

Conheço minha amiga Elea há anos. Nós nos conhecemos pela internet e só nos encontramos pessoalmente muito depois de virarmos amigas. Em um verão, ela estava viajando de bicicleta pelo Oregon, por isso decidimos nos encontrar em Seaside. Quando cheguei a Seaside, havia centenas e centenas de pessoas reunidas e eu tive um momento de ansiedade social: "Como vou reconhecê-la no meio de tanta gente? Só a vi por foto. A gente não pode se aproximar de alguém e dizer: 'Com licença, você me conhece?'" Mas então pensei: *Bom, ela vai estar com o filho, Vasu, então vou procurar por ele. Quero dizer, eu reconheceria aquele garoto em qualquer lugar. Só vou procurar Vasu.*

Demorei alguns segundos antes de lembrar: Vasu morreu. Morreu no mesmo ano que Matt. Nunca nos conhecemos. O único motivo para eu ter conhecido Elea foi porque o filho dela morreu. Na verdade, o único motivo para eu conhecer muita gente na minha vida é porque alguém morreu.

Essas pessoas são o motivo de eu ter sobrevivido.

Boa parte das coisas boas na minha vida agora vem da comunidade de enlutados: essa é uma das poucas verdadeiras bênçãos da perda. Todos nós trocaríamos a comunidade que encontramos pela vida que perdemos, e podemos dizer isso sem remorso. E todos nós amamos, guardamos, protegemos e respeitamos ferozmente os outros que conhecemos aqui, nesta vida que não queríamos.

> "Meu coração ainda está despedaçado. Está se curando lentamente, das maneiras que consegue se emendar. Sempre haverá buracos nele, e talvez outras evidências de uma perda profunda e dolorosa, e ele jamais será como antes. Está mais forte e mais frágil ao mesmo tempo. Mais aberto e, mesmo assim, fechado.
>
> Nossas perdas são diferentes, mas reconheço a sua. Ouço suas palavras e sofro porque tudo remonta às mesmas raízes. Reconheço sua dor porque senti a minha. Nossas histórias não são a mesma e o nome da sua perda ou do

relacionamento pelo qual estamos de luto pode ser diferente, mas quero que você saiba que reconheço sua perda como verdadeira e real.

Acima de tudo, quero que você sinta que sua perda é válida. É aceita.

Eu ouço você.

Eu respeito você."

GRACE, aluna do *Writing Your Grief*, sobre a tribo encontrada depois da morte de seu irmão.

SOZINHOS, JUNTOS

Escrevo e falo sobre o luto praticamente o dia inteiro, todo dia. Minha escrita, minhas oficinas, meus cursos, tudo que faço se destina a dar algum conforto a quem está sofrendo. Compartilhar histórias de luto da minha vida e da vida dos meus alunos me permite dizer que você não está só.

Mas é aí que tudo se complica, especialmente no luto recente. Se uma perda intensa aconteceu na sua vida, algo que você ouvirá com frequência é: "Você não está só." E isso não é verdade.

Não importa quantas vezes as pessoas digam que estão do seu lado, não importa quanto *estejam* do seu lado, ninguém pode viver o luto com você. Ninguém pode entrar na sua mente e no seu coração e ficar ali com você. Não é apenas semântica.

Você está sozinho. Apenas você sabe como seu luto o habita. Apenas você conhece todos os detalhes, a sutileza e as nuances do que aconteceu e do que foi perdido. Apenas você sabe quanto sua vida mudou. Você precisa enfrentar isso a sós, dentro do seu coração. Ninguém pode fazer isso por você.

Isso é verdade mesmo que alguém tenha vivido uma perda semelhante.

Há uma história que percorre o mundo do luto chamada "A gazela do beduíno". Nela, um homem descobre que seu jovem filho morreu. Para suavizar a notícia para a esposa, ele envolve o filho em uma capa e diz à mulher que lhe trouxe uma gazela da caçada. Para cozinhá-la, ela precisa pegar emprestada uma panela de alguma casa que nunca tenha conhecido a tristeza. Ela vai de porta em porta na sua comunidade, pedindo uma panela. Todo mundo conta uma história de perda que aconteceu em cada família.

A mulher volta para casa de mãos vazias. "Não existe nenhuma panela que não tenha cozinhado uma refeição triste." O homem abre a capa, revelando o filho, e diz: "É a sua vez de cozinhar refeições tristes, pois esta é a minha gazela."

Uma interpretação para essa história é que todo mundo passa pelo luto. Seja nessa versão da narrativa folclórica ou na versão do guru e da semente de mostarda ou em qualquer versão que você encontre, a mensagem é a seguinte: todo mundo sofre.

Não existe nenhuma casa, nenhuma vida, sem dor.

O que odeio nessa interpretação é a parte implícita de uma declaração deste tipo: todo mundo passa pelo luto, portanto o seu luto não é especial. Em outras palavras: anime-se. Você não precisa de cuidados especiais, porque todo mundo sente dor. O fato de você não estar sozinho significa que não tem direito a um luto tão profundo. É pedido que você reduza a importância da sua dor simplesmente porque outras pessoas também a sentiram.

Mas há outro modo de olhar para isso.

Enquanto a mulher andava de casa em casa, ainda sem saber do sofrimento que a esperava, ficou sabendo das dores dos outros. Ficou sabendo, antecipadamente, quais famílias tinham sofrido a perda que ela ia enfrentar. Sem saber, estabeleceu o trabalho básico para encontrar a própria tribo dentro de uma tribo.

Essa jornada de porta em porta a preparou para o que viria, sussurrando em seus ouvidos: encontre-os, conheça-os. Você estará sozinha no luto, profundamente sozinha, e *essas* são as outras pessoas que saberão exatamente o que isso significa.

O fato de mais gente ter sofrido, até mesmo uma dor muito parecida com a sua, não serve como solução para o luto. Serve para encontrar outras pessoas que entendam. Serve para apresentar você à sua tribo.

Serve para mostrar quem é capaz de ouvir sua dor, quem pode ficar ao seu lado, prestando atenção, testemunhando.

Naquele dia em Seaside, eu esperava ver o filho de Elea porque, como parte da minha tribo, Vasu é real para mim. É real porque ouvi as histórias de Elea. Porque suas histórias de luto fazem parte das suas histórias de amor e eu o conheço através das duas coisas. Vasu é real não somente porque posso ver fotos dele feliz e vivo, mas também porque posso testemunhar a história por trás de cada foto que a mãe dele compartilha. Posso ver as noites insones no rosto da minha amiga. Posso ver Vasu se tornar, como Elea escreveu, "mais tumor do que menino". Posso ver os dias em que a morte vinha e ia embora, e o dia em que a morte veio e ficou. Posso ver o amor entrelaçado com o desespero, assim como ela também pode ver o meu. Uma ouve a outra. Isso dói. E nos sentimos confortáveis com a dor mútua tanto quanto com o amor mútuo. Tudo isso é bem-vindo.

E este é o ponto: tudo é bem-vindo em uma comunidade de perda. Sabemos que estamos sós e não estamos sós nisso. Ouvimos uns aos outros. Isso não conserta nada, mas, de algum modo, muda tudo.

> O tratamento para a tristeza é o contato humano.
>
> DRA. PAULINE BOSS[1]

AFINIDADE E RECONHECIMENTO

Encontrar pessoas que compartilharam uma dor tão profunda mostra quem entende como você está só. Encontrar outras pessoas permite saber que tudo por que estamos passando é normal, mesmo que pareça bizarro. Encontrar outras pessoas vivendo nesse território do luto valida o pesadelo do que você já sabe: existem coisas que jamais podem "melhorar".

Isso pode parecer o oposto de uma ajuda, mas, para quem experimenta uma perda tão grande, ter outras pessoas reconhecendo a profundidade da dor é um salva-vidas. Quando alguém olha para você e enxerga de verdade, realmente reconhece, a devastação que há no âmago da sua vida, isso muda alguma coisa. Ajuda. Talvez seja a única coisa que ajuda.

O companheirismo na dor é um dos melhores indicadores não de "recuperação", mas de sobrevivência. Certamente podemos forjar a sobrevivência sozinhos, mas é muito mais fácil quando seguimos com uma tribo de corações em luto.

> "A morte cria uma família.
> Entro no círculo
> De mães, pais, filhas, filhos, companheiros
> Com lágrimas sempre nos olhos.
> Querendo correr todo o caminho de volta,
> Querendo correr,
> Mas sem correr.
> Entrelaço as mãos com os santos enlutados.
> Não podemos correr mais do que a dor,
> Por isso entramos nela.
> Nos abraçamos no amor e na luz,
> Tropeçamos, seguramos uns aos outros
> E caminhamos sem saber por quê
> Nem para onde.
> Os meteoros riscam o céu ao luar
> E nós caminhamos juntos por um tempo."
>
> KATHI THOMAS ROSEN, aluna do *Writing Your Grief*,
> sobre a morte de seu marido, Seth.

A TRIBO DO DEPOIS

As outras pessoas ao seu redor podem se preocupar achando que você passa tempo demais em blogs sobre luto, lendo livros sobre luto ou falando com pessoas que experimentaram uma perda semelhante. Isso é ridículo. *Todos nós* procuramos similaridades em nossos relacionamentos. Gravitamos naturalmente para pessoas com quem compartilhamos coisas importantes: interesses, passatempos, formação. Nossa vida é construída ao redor do que temos em comum. Claro que você vai procurar seu próprio tipo de luto. Como escreveu um terapeuta, depois de uma perda dessa magnitude o mundo se divide entre os que entendem e os que não entendem. Existe um abismo entre você e o mundo lá fora. Ainda que essa separação nem sempre seja tão nítida, neste momento ela é. E é neste momento que você precisa da sua tribo.

Antigamente eu me incomodava com a palavra *tribo*. É alguma gíria New Age da internet, e sempre odiei esse tipo de coisa. Mas tendo vivido pessoalmente, tendo encontrado meu povo e criado lugares para as pessoas se encontrarem, não posso questionar a palavra. Somos uma tribo. A Tribo do Depois. Depois da morte, depois da perda, depois de todo mundo ter seguido em frente, a companhia de outros enlutados permanece.

Agora é mais fácil encontrar essa irmandade, mais fácil do que quando fiquei viúva. Naquela época não havia praticamente nada. A maioria das fontes de auxílio ao luto na internet presumia que, como eu era viúva, tinha mais de 70 anos. Os poucos lugares que encontrei que lidavam com a morte acidental de um companheiro jovem eram religiosos ou tentavam derramar arco-íris e finais felizes sobre algo que jamais poderia ser curado. Banalidades e representações simplistas, reducionistas, não funcionavam para mim antes da morte de Matt. Depois dela, passaram a ser intoleráveis. Como uma pessoa artística, reflexiva, esperta e completamente nerd em uma cidade pequena, frequentemente eu sentia que não me encaixava no mundo. Depois da morte de Matt, eu não me encaixava em lugar nenhum.

Naquela época eu passava horas sem fim na internet, procurando alguém, qualquer pessoa, que falasse como eu. Pouco a pouco, através de uma cadeia emaranhada de comentários e fiapos de informações, pulando de um blog obscuro (na época) para outro, encontrei meu povo.

Ler as histórias dessas pessoas e sentir a verdade brutal da sua dor me ajudou como nada mais poderia ajudar. As pessoas que encontrei, as que ficaram ao meu lado, as que estavam dispostas a se manter junto à cratera que se abriu na minha vida (e na delas) e não desviar os olhos nem tentar embelezar a coisa, são o motivo para eu ter sobrevivido. Suas histórias foram a trilha de migalhas de pão que segui quando estava perdida, e eu me perdi um bocado. O velho ditado sobre "estar sobre os ombros de gigantes" é totalmente verdadeiro para mim. Sobrevivi ao que era impossível por causa de seus corações gigantescos. Por causa do que criamos juntos. Por causa das histórias que contamos.

Reafirmamos o mundo arrasado uns dos outros.

Meus companheiros viúvos, meus companheiros no luto, os outros corações partidos, juntos, tecemos uma história de sobrevivência na dor que não pode ser consertada. E fizemos isso apenas dizendo a verdade. Aceitamos a realidade imutável da perda. Permanecemos ao lado uns dos outros. Reconhecemos a verdade uns dos outros.

Esta é a força do reconhecimento: age como um companheiro da dor, e não como solução. É assim que passamos por isso, lado a lado com outras pessoas devastadas, de coração partido. Não tentando consertar. Não tentando embelezar. Mas dizendo a verdade e testemunhando, reconhecendo, ouvindo essa verdade.

PRECISAMOS UNS DOS OUTROS

Veja bem: eu nunca quis ser uma terapeuta do luto. Se Matt não tivesse morrido, eu provavelmente teria abandonado o ramo da terapia. Pouco antes da morte de Matt, eu disse a ele que estava cansada de trabalhar com a dor. Depois que ele morreu, fechei meu consultório; nunca mais vi meus pacientes.

Mas o luto me tornou solitária de um modo que eu jamais tinha sido, e olhe que eu conhecia a solidão. Essa solidão me fez procurar as pessoas que iam se tornar minha tribo. É por causa dessa procura pela agulha em um palheiro invisível, com todos os becos sem saída, voltas erradas e desapontamentos, que realizo o trabalho que faço agora. Eu não suportava a ideia de novas pessoas sendo lançadas no mundo do luto sem encontrar nada, sem ouvir nada com que pudessem se identificar.

Voltei a esse campo porque vi como as conexões podem ser poderosas. Como falei antes, escrever sempre foi o meu meio de comunicação. Quando comecei este trabalho, escrevia para dar aos outros aquilo de que eu própria mais precisava: companheirismo. Reconhecimento. Sobrevivência. Escrevia porque minhas palavras ajudavam. Escrevia para tornar mais fácil a conexão durante o luto. Criava coisas – livros, postagens em blogs, cursos, oficinas – porque, se eu podia fazer alguma coisa para aliviar o peso e a solidão de alguém, de uma pessoa ou mil, tinha que fazer. O que mais poderia fazer?

Neste livro há um bocado de palavras tiradas dos meus cursos *Writing Your Grief* (Escrevendo seu luto). Nos últimos anos tive o privilégio de ler e testemunhar muitas histórias lindas, horríveis. Os alunos que passaram por esses cursos me deixaram pasma, repetidamente, com sua capacidade de amar, de testemunhar, de se aproximar uns dos outros com gentileza e aceitação. Desde os primeiros dias cautelosos na internet até o que são agora anos de apoio, esses escritores formaram uma família. Eles recebem cada pessoa nova, cada história nova, com amor e validação. O que nós fizemos, o que todos nós fizemos, foi abrir espaço para a devastação que nos une.

O que me ajudou a sobreviver é o que os ajuda a sobreviver, e é o que vai ajudar você a sobreviver. É companheirismo na dor. É o poder da presença e de ser testemunha. Não é magia; é amor. Amor que não vira as costas.

Você pode encontrar isso escrevendo na companhia de outros. Pode encontrar em algum outro fórum. Pode encontrar na vida real ou na internet. O importante é encontrar um local onde sua perda seja valorizada, respeitada e ouvida. Quando você perde o centro da sua vida, precisa da companhia de outros que possam ficar ali, ao lado do buraco, e não dar as costas.

> "Formamos um bando de gente linda e enlutada. Vou sentir falta da voz de todos vocês, até das silenciosas. Sempre notei quando uma voz silenciosa gostava de uma postagem. Desejo para cada um de nós, inclusive para mim, que continuemos a procurar quem entende a perda e a dor, que encontremos um pouco de conforto e tranquilidade em todos os nossos dias, em outros grupos que prestem atenção e ouçam o que dizemos e compartilhem suas vozes de

perda. Que coro nós criamos neste grupo, que música compartilhamos. Ouvi hinos à vida, cantigas de desespero, corais de amor, óperas de perda. Por favor, continuem escrevendo, todos vocês. Espero escutar todas as suas vozes de novo, em algum outro grupo, nos seus blogs ou em algum local aleatório na internet. Espero que a sincronicidade do universo reúna nossas vozes de novo, misturadas com outras vozes de perda vindas de outros grupos.

Espero que cada um de nós encontre momentos para compartilhar com alguém que entende o que é realmente a perda, que nos ajude a pôr um lugar à mesa para os que não estão aqui, que entenda a dor. Saudações, amigos. Saúdo todos vocês."

CHRIS GLOIN, aluna do *Writing Your Grief*, sobre a morte de seu marido, Bill.

UMA CULTURA DA GENTILEZA

Estar com outras pessoas que entendem a profundidade da sua dor não conserta nada. Como falei um milhão de vezes, algumas coisas não podem ser consertadas, só podem ser suportadas. Um luto como o seu, um amor como o seu, só pode ser suportado.

A sobrevivência no luto e, enfim, até mesmo a construção de uma vida nova junto ao luto vêm com a disponibilidade de testemunhar tanto a si mesmo quanto aos outros que se encontram nessa vida imprevista. Juntos criamos uma verdadeira esperança para nós e para os outros. Precisamos dos outros para sobreviver.

Desejo isto para você: encontre o seu grupo, as pessoas que enxergarão sua dor, acompanharão você, abraçarão você, mesmo que o peso enorme do luto seja somente seu. Por mais que às vezes seja difícil de encontrar, sua comunidade está por aí. Procure-a. Recolha-a. Entrelace-a em uma luz que possa apoiar você.

Um dos meus alunos descreveu nossa comunidade de escrita como *uma cultura da gentileza.* É o que desejo para você. A boa notícia é que existem mais lugares para encontrar essas culturas, mais oportunidades para *criar* essas culturas, do que existiam há poucos anos. Em uma vida que você não pediu, em uma vida que você não previu, essas pequenas ilhas de comunidades verdadeiras fazem toda a diferença.

É preciso trabalho para encontrar esses lugares, eu sei. Eles estão mais fáceis de encontrar, mas não muito. Leia tudo que seu coração e sua mente consigam tolerar. Leia os comentários (ignore os ignorantes e cruéis); siga os links que achar. Deixe comentários. Procure o seu povo em meio à selva do luto até encontrar um acampamento ou faça um. Posso falar disso em termos poéticos eternamente, mas esta é a única coisa que eu sei: nós nos encontramos tornando-nos encontráveis. As vozes da minha tribo original eram uma raridade quando comecei. Escreva, comente, conecte-se. Quanto mais maneiras você encontrar de falar sua verdade, mais caminhos criará para que suas palavras encontrem essas pessoas. Acenda sua lanterna. Levante-a. Continue procurando. Continue encontrando.

Sei que é exaustivo. Tudo isso é exaustivo. E encontrar sua tribo é a única coisa que garanto que facilitará as coisas. O companheirismo e a afinidade são sua sobrevivência. Mesmo se você achar impossível, por favor, pelo menos se disponha a considerar a hipótese de ser encontrado. Seja forte com relação a isso. Você pode ser uma raridade, mas não é a única pessoa vivendo um pesadelo. Nós *estamos* aqui, e estamos ouvindo.

Ninguém pode entrar no âmago mais profundo do luto. Nós, aqui, até os que conhecem a magnitude dessa dor, não estamos com você no seu luto mais profundo. Essa intimidade é somente sua.

Mas juntos reconhecemos uns aos outros e respeitamos a dor que enxergamos. Nossos corações abrigaram uma tristeza enorme. Através dessa dor, podemos estar presentes uns para os outros. À medida que nossas palavras batem à porta do coração dos outros, nos transformamos em paradas no caminho uns dos outros.

A verdade também é: você não está só.

“**Bênção**

Que os que choram saibam
que choramos com vocês.
Compartilhamos nossos diferentes lutos juntos.
O fato da perda
que nos arranca da comunidade
é a mesma coisa
que nos une nesta tribo.
Nós, que testemunhamos,
um humanizando a experiência do outro
apenas por ouvir.
Na escuridão, uma luz minúscula.
Na solidão, uma voz baixinha.
No silêncio, um pouco de amor.
Um ouvido para escutar,
Outro coração para compartilhar,
de um modo ainda pequeno,
nosso despedaçamento.”

RICHARD EDGAR, aluno do *Writing Your Grief*,
sobre a perda do casamento, da identidade e do
lugar na comunidade.

16

O AMOR É A ÚNICA COISA QUE PERMANECE

Como podemos terminar um livro sobre a perda sem cair de volta no esperado final feliz? Sem procurar uma transformação forçada ou uma promessa de que tudo vai dar certo no final?

Termino este livro com amor porque tudo que temos é o amor. Não é um tom animado nem uma condenação. É apenas o que é.

Sentimos o luto porque amamos. O luto faz parte do amor.

Havia amor neste mundo antes da sua perda, existe amor ao seu redor agora e o amor permanecerá ao seu lado durante toda a vida que ainda virá. As formas vão mudar, mas o amor em si jamais irá embora. Não é o bastante. E é tudo.

Um dos meus professores descrevia o principal exercício espiritual da vida dele como o de atravessar uma ponte entre o que existia antes e o que existe agora. Viver no luto é atravessar essa ponte repetidamente. A sobrevivência no luto está em encontrar a conexão entre a vida que existia e a vida que lhe foi jogada.

Na verdade, não podemos nos agarrar a nada: nem ao mundo físico, nem aos sentimentos, nem mesmo aos nossos pensamentos. Mas podemos manter o amor. Ele se altera, muda como uma força natural porque é uma força natural, mas de algum modo permanece como alicerce, leito de rocha, base. Conecta o que existe agora ao que existia, ao que existirá. Permite viajarmos entre mundos.

> "Como estou envolta em amor, esta é a bênção que desejo para mim: a graça de olhar nos olhos o que aconteceu e aceitar como foi, como é, como éramos e como somos; a graça de viver na situação atual; a coragem de me levantar de manhã; a capacidade de olhar um passarinho no comedouro, a lua cheia ou o sol da tarde no campo de futebol do St. Catherine's, atrás da nossa casa, e saber que existe bondade e dor no mundo, e que faço parte das duas coisas.
>
> Como estou envolta em amor, esta é a minha bênção para mim mesma: estar neste espaço de luz, por menor que seja, por mais que esteja cheio de dor, a cada dia. E manter a distância o torvelinho de caos, sombras e desintegração que espreita e tenta me agarrar fora deste espaço de amor. Pouco a pouco integrar a dor, a fúria e a perda com amor, e suplantar a escuridão com a luz. Luz suave, da tarde, não o clarão duro da eletricidade, e sim luz gentil que revela e embeleza tanto o que está inteiro quanto o que está quebrado.
>
> Como estou envolta em amor – no seu amor, Richard, e no amor de Deus –, esta é a minha bênção para mim mesma: me aceitar como sou, me amar, me perdoar e me permitir crescer. Encontrar um modo de estar neste mundo sem você, sustentada pelo amor."
>
> I. H., aluna do *Writing Your Grief*,
> sobre a morte de seu marido, Richard.

TUDO BEM NÃO ESTAR TUDO BEM: NÃO É PARA VOCÊ ESTAR BEM

Acho que frequentemente acreditamos que o amor vai consertar as coisas, como se fosse um remédio mítico que remove toda a dor, nega todas as dificuldades. Esse jamais foi o papel do amor. O amor, o companheirismo, o reconhecimento nos acompanham e sustentam na dor, não a afastam. Essas coisas não substituem o que perdemos e não tornam mais fácil o fato de estarmos arrasados.

Às vezes o amor é brutal. Pede mais do que a gente pode dar. Boa parte de tudo que existe aqui, boa parte desse trabalho do luto, é ser suficientemente forte para suportar o peso do que o amor pede a você. É encontrar maneiras de se acompanhar, de permanecer presente na dor e no amor que coexistem.

A poeta Naomi Shihab Nye escreve: "Amar significa respirar em dois países."[1] Cruzar essa impossibilidade entre a vida que existia e a vida que existe agora significa, de algum modo, respirar em dois países: o amor existe nos dois, conecta os dois.

Isso vai doer, talvez por um longo tempo. Corações partidos doem mesmo. O amor que você conhecia, o amor com o qual você sonhava, o amor que vocês geraram e criaram juntos é o que vai te guiar. É uma enorme balsa, que não pode ser quebrada nem saqueada. Às vezes você pode se esquecer dele, mas sempre pode voltar.

Todo o universo pode desmoronar (e desmorona) e o amor em si jamais irá embora. O amor está com você aqui, até mesmo e especialmente nisto. É o amor que nos sustenta. Quando não existir mais nada em que se segurar, segure-se no amor. Deixe que ele carregue você.

> Acredito que o mundo foi criado e aprovado pelo amor, que o mundo subsiste, se mantém coeso e resiste devido ao amor, e que, na medida em que for redimível, ele só pode ser redimido pelo amor.
>
> WENDELL BERRY, *The Art of the Commonplace*

O MEIO-TERMO DO LUTO

Temos a ideia de que só existem duas opções no luto: ficar triste para sempre e nunca mais sair de casa ou deixar toda essa tristeza para trás e passar a viver uma vida fabulosa. A realidade é muito mais ampla: não estamos condenados à tristeza eterna nem somos forçados a um modelo de recuperação que não funciona para nós.

Existe um enorme meio-termo entre esses dois extremos.

Esse meio-termo do luto só pode ser criado por você. Você, vivendo do melhor modo que puder, em alinhamento com a realidade que conhece, tendo o amor como guia e companheiro. Você cria esse meio-termo oferecendo gentileza a si mesmo. Recusando-se a ceder ao paradigma emocional dominante que diz que o luto é um problema a ser resolvido. Dando-se todo o tempo e o espaço de que precisa para ficar tão desolado quanto se sente.

Nenhum de nós, nesse caminho do luto, retornará à vida de antes ou ao que éramos antes. Simplesmente não é possível. O que podemos fazer é respeitar o que foi partido, as feridas abertas na nossa vida. Podemos abordar com gentileza e com amor o que resta. Podemos perguntar quais partes de nós mesmos sobreviveram à explosão.

Em uma postagem no Facebook, Anne Lamott chamou isso de "amizade com nosso coração", e é exatamente disso que estou falando. Encontrar seu meio-termo dentro do luto é fazer amizade com seu coração, criando um lar dentro dele. É aprender a testemunhar sua dor, tratar-se como alguém que você ama. É reivindicar seu direito de sentir dor, sem ignorá-la ou enfeitá-la para conforto de outra pessoa. É encontrar quem pode compartilhar essa dor com você, quem não tem medo de ver seu coração com todo o sofrimento e toda a graça que ele carrega.

Seu meio-termo é criado à medida que você experimenta o luto, encontrando maneiras de assentar essa experiência na sua vida. Sim, ela vai transformar você. A pessoa em que você se transforma, o modo como suporta essa perda, essas coisas continuam a se desdobrar. O meio-termo é sempre um trabalho inacabado. É um trabalho que não pede que você negue sua dor nem fique para sempre engolfado nela. É um trabalho que apenas permite que você encontre um lar na realidade do amor, com todas as partes lindas e horríveis. Envoltos em amor, experimentando o amor, só assim ficamos "em segurança".

> É a sua vida. A vida que você deve criar no local obliterado que agora é o seu mundo, onde tudo que você era está simultaneamente apagado e onipresente... O lugar obliterado é feito tanto de destruição quanto de criação. O lugar obliterado é de um breu profundo e luz brilhante. É água e terra seca. É lama e maná. O verdadeiro trabalho do luto profundo é fazer um lar dentro nele.
>
> CHERRYL STRAYED, *Pequenas delicadezas*

AVANÇANDO JUNTOS

Não resta muita coisa a dizer neste capítulo. Sei que este livro, estas palavras não bastam. Nada pode fazer você ficar bem. Minha esperança é que você tenha encontrado companheirismo aqui e que os exercícios e práticas neste livro o ajudem a viver esta vida que lhe foi oferecida.

Tentei dizer da melhor maneira possível a minha verdade sobre o luto. Formar uma imagem para sua vida, um mapa na escuridão. É uma história que eu não gostaria de ter que contar, e é a história que eu tenho.

Nosso coração se parte de maneiras que não têm conserto. Isso sempre foi verdade. Precisamos encontrar maneiras de dizer essa antiga verdade de um jeito novo, para que jamais deixemos de ouvi-la. Precisamos falar para que os outros escutem, para que voltem a escutar. Como escreve James Baldwin, não existe nenhuma outra história a contar:

> Creole começou a nos contar o que era o blues. Não era nada novo. Ele e seus garotos estavam renovando-o, se arriscando à ruína, à destruição, à loucura e à morte, para

> encontrar novos modos de fazer com que ouvíssemos. Porque, ainda que a história de como sofremos e de como podemos triunfar não seja nova, ela sempre precisa ser ouvida. Não existe outra história a contar, é a única luz que temos em toda esta escuridão.
>
> JAMES BALDWIN, "Sonny's Blues"[2]

Ao sermos honestos sobre nossos sentimentos, deixamos as pessoas ao redor encontrarem sua verdade. Começamos a mudar o paradigma dominante que diz que o seu luto é um problema a ser resolvido. Ficamos melhores em testemunhar dores. Aprendemos a sobreviver a todas as partes do amor, até às difíceis.

Apenas falando a verdade abrimos as conversas sobre o luto, que de fato são conversas sobre o amor. Começamos a amar melhor uns aos outros. Começamos a remodelar o roteiro falsamente redentor que nos fez, como cultura e como indivíduos, insistir que existe um final feliz em todo lugar se o buscarmos com determinação. Paramos de culpar uns aos outros pela nossa dor e, em vez disso, trabalhamos juntos para mudar o que pode ser mudado e suportar o que não pode ser consertado. Ficamos mais confortáveis em escutar a verdade, mesmo quando a verdade parte nosso coração.

Ao dizer e escutar a verdade, melhoramos as coisas, ainda que não possamos consertá-las. Fazemos companhia uns aos outros no sofrimento. Testemunhamos uns aos outros. Esse é o caminho do amor. É para isso que somos feitos. É a nova história de coragem, a nova história que precisamos contar.

Sei que você não pediu para fazer parte dessa história. Eu gostaria que você não estivesse aqui. Mas você está, e não há como mudar isso, a não ser lhe dar as boas-vindas. Você é parte da mudança que está acontecendo, tanto no seu coração quanto no coração e na mente dos outros. Apenas por estar aqui. Mostrando-se, marcando presença, escolhendo mostrar amor e gentileza a si mesmo na dor.

O reconhecimento é tudo, e assim termino esta carta de amor no ponto em que começamos: lamento que você precise disto. E fico feliz que você esteja aqui.

Tudo bem se você não está bem.

Certas coisas não podem ser consertadas. Só podem ser suportadas.

Que este livro ajude você a suportar o necessário.

APÊNDICE

Como ajudar um amigo de luto

Meu ensaio sobre como ajudar um amigo de luto está entre as três postagens mais compartilhadas que já escrevi. Muito do que mencionei na terceira parte está resumido neste texto, por isso o coloquei aqui.

Sou terapeuta há mais de 10 anos. Trabalhei com serviço social durante uma década antes disso. Conhecia o luto. Sabia como lidar com ele quando o sentia e como cuidar dele nos outros. Quando meu companheiro se afogou em um dia de verão, em 2009, descobri que o luto tinha muito mais nuances do que eu imaginava.

Muitas pessoas querem de verdade ajudar um amigo ou familiar que esteja passando por uma perda séria. Em momentos assim, é comum não encontrarmos palavras e ficarmos gaguejando em busca da coisa certa a dizer. Algumas pessoas têm tanto medo de falar ou fazer a coisa errada que optam por não fazer nada. Não fazer nada é certamente uma opção, mas não das boas.

Ainda que não exista um modo perfeito de reagir ao luto ou de apoiar uma pessoa de quem você gosta, aqui vão algumas boas regras básicas.

1. O luto pertence à pessoa enlutada.

Seu papel é de coadjuvante, e não de protagonista, no luto da pessoa. Pode parecer uma coisa estranha para dizer. Boa parte dos conselhos, sugestões e "ajuda" dados à pessoa enlutada é para dizer a ela que aja ou sinta de um modo diferente. O luto é uma experiência muito pessoal e pertence somente a quem o experimenta. Você pode acreditar que faria as coisas de outro modo se tivesse acontecido com você. Esperamos que você não tenha a oportunidade de descobrir. Este luto pertence ao seu amigo; siga a orientação dele.

2. Esteja presente e diga a verdade.

É tentador falar sobre o passado ou o futuro quando a vida atual da pessoa é tão dolorosa. Você não tem como saber como será o futuro, nem para você nem para ela; as coisas podem ou não melhorar. O fato de a pessoa ter sido feliz no passado não é uma troca justa pela dor atual. Esteja presente para ela, mesmo quando o presente for doloroso.

Também é tentador fazer declarações genéricas sobre a situação, em uma tentativa de consolar seu amigo. Você não sabe se o ente querido da pessoa "terminou o trabalho que tinha para fazer aqui" ou se está "em um lugar melhor". Essas banalidades baseadas no futuro, oniscientes, genéricas, não ajudam. Atenha-se à verdade: isso dói. Eu amo você. Estou aqui.

3. Não tente consertar o que não tem conserto.

A perda sofrida não pode ser consertada, curada ou resolvida. A dor em si não pode ser melhorada. Por favor, reveja o item 2. Não diga nada que tente consertar o que não tem conserto, e vai ser melhor. É um alívio enorme ter um amigo que não tenta amenizar nossa dor.

4. Disponha-se a testemunhar uma dor lancinante, insuportável.

Cumprir este item 4 ao mesmo tempo que pratica o item 3 é muito, muito difícil.

5. Não é sobre você.

Não é fácil fazer companhia a alguém que está sofrendo. Muitas coisas vêm à tona: estresse, perguntas, raiva, medo, culpa. Você provavelmente sairá magoado. Pode se sentir ignorado ou desvalorizado. A pessoa pode não cumprir muito bem a parte dela no relacionamento. Por favor, não leve para o lado pessoal e não reaja mal. Por favor, encontre outra pessoa em quem se apoiar nesse momento; é importante que você receba apoio enquanto apoia a pessoa enlutada. Quando em dúvida, veja o item 1.

6. Antecipe-se, não pergunte.

Não diga "Me ligue se precisar de alguma coisa", porque a pessoa não vai ligar. Não porque não precise, mas porque identificar uma necessidade, descobrir quem pode satisfazê-la e depois telefonar para pedir está a anos-luz dos níveis de energia, capacidade ou interesse da pessoa. Em vez disso, faça ofertas concretas: "Vou passar aí na quinta-feira às quatro da tarde para separar seu lixo reciclável" ou "Vou passar aí todo dia de manhã na ida para o trabalho e dar uma voltinha com o seu cachorro". Seja confiável.

7. Faça as coisas recorrentes.

O verdadeiro trabalho pesado do luto você não tem como fazer (veja item 1), mas pode diminuir o fardo das exigências da vida "normal" do seu amigo. Existem tarefas recorrentes que você pode fazer? Coisas como passear com o cachorro, comprar remédio, tirar a neve e pegar a correspondência são boas opções. Apoie a pessoa com pequenos gestos comuns; essas coisas são evidências concretas de amor.

Por favor, tente não fazer nada que seja irreversível – como lavar a roupa ou limpar a casa – sem antes verificar com a pessoa. Aquela garrafa de refrigerante vazia ao lado do sofá pode parecer lixo, mas talvez tenha sido deixada ali pelo marido dela poucos dias antes. A roupa suja pode ser a única coisa que ainda guarda o cheiro da esposa falecida. Está vendo aonde eu quero chegar? Coisas pequenas e normais se tornam preciosas. Pergunte primeiro.

8. Cumpram os projetos juntos.

Dependendo das circunstâncias, pode haver tarefas difíceis a fazer – coisas como comprar o caixão, ir à funerária, empacotar ou separar coisas em quartos ou casas. Ofereça ajuda e cumpra o que prometeu. Nessas tarefas, siga a orientação da pessoa. Sua presença ao lado dela é poderosa e importante; com frequência, palavras são desnecessárias. Lembre-se do item 4: testemunhar e estar presente.

9. Interfira.

Para alguém que acabou de entrar de luto, o fluxo de pessoas querendo demonstrar apoio pode ser esmagador. Um momento intensamente pessoal e íntimo pode parecer uma vida em um aquário. Pode haver maneiras de você proteger e abrigar seu amigo enlutado, encarregando-se das orientações: seja quem repassa informações aos outros ou que organiza visitas de condolências. Bancar o porteiro é realmente útil.

10. Eduque e advogue.

Talvez você note que outros amigos, familiares e conhecidos constantemente pedem informações sobre a pessoa. Nesse sentido, você pode ser um ótimo educador, ainda que sutil. Pode normalizar o luto com respostas como: "Ela tem momentos bons e momentos ruins, e vai continuar assim durante um tempo. Uma grande perda muda cada detalhe da vida." Se alguém perguntar pela pessoa um pouco mais tarde, você pode dizer coisas como: "Na verdade o luto não acaba nunca. É uma coisa com a qual convivemos de várias maneiras."

11. Ame.

Acima de tudo, mostre seu amor. Marque presença. Diga alguma coisa. Faça alguma coisa. Disponha-se a ficar ao lado do buraco enorme que se abriu na vida da pessoa, sem se encolher nem dar as costas. Aceite a possibilidade de não ter nenhuma resposta. Ouça. Esteja ali. Esteja presente. Seja amigo. Seja amor. O amor é o que permanece.

NOTAS

Capítulo 3: Não é você, somos nós: nossos modelos de luto são defeituosos

1. Brené Brown. *Mais forte do que nunca.* Rio de Janeiro: Sextante, 2016.

Capítulo 4: O analfabetismo emocional e a cultura da culpa

1. Para saber mais sobre as origens da culpa contra a vítima, ver Adrienne LaFrance. "Pompeii and the Ancient Origins of Blaming the Victim". *The Atlantic*, 2 out. 2015. Disponível em: theatlantic.com/technology/archive/2015/10/did-the-people-at-pompeii-get-what-they-deserved/408586/.
2. Cheryl Strayed. *Pequenas delicadezas: conselhos sobre o amor e a vida*. Rio de Janeiro: Objetiva, 2013.
3. Ibid.
4. Barbara Ehrenreich. *Sorria: como a promoção incansável do pensamento positivo enfraqueceu a América*. Rio de Janeiro: Record, 2013. Também o artigo dela: "Smile! You've Got Cancer". *The Guardian*, 1 jan. 2010. Disponível em: www.theguardian.com/lifeandstyle/2010/jan/02/cancer-positive-thinking-barbara-ehrenreich.
5. Ibid.

Capítulo 5: O novo modelo do luto

1. Pauline Boss. "The Myth of Closure". Entrevista com Krista Tippett. *On Being*, 23 jun. 2016. Disponível em: onbeing.org/programs/Pauline-boss-the-myth-of-closure/.

Capítulo 6: Vivendo a realidade da perda

1. Regras básicas para viver no luto: ver as Regras do Impacto no meu site *Refuge in Grief*: refugeingrief.com/rules-at-impact-how-to-survive-early-grief.

Capítulo 8: Como (e por que) continuar vivendo

1. Ver Mirabai Starr. "Softening into the Pain". Postagem no blog, 12 jan. 2011. Disponível em: https://mirabaistarr.wordpress.com/2011/01/12/softening-into-the-pain/.

Capítulo 9: O que aconteceu com a minha mente? Lidando com os efeitos colaterais físicos do luto

1. Para saber mais sobre a neurobiologia, ver Thomas Levis, Fari Amini e Richard Lannon. *A General Theory of Love*. Nova York: Vintage, 2001.
2. James Hillman. *The Dream and the Underworld*. Nova York: Harper & Row, 1979.

Capítulo 11: O que a arte tem a ver com isso?

1. A prática de escrever embaixo da linha vem de uma das minhas primeiras professoras de escrita, Eunice Scarfe, de Edmonton, Alberta.

Capítulo 12: Encontre sua própria visão da "recuperação"

1. Samira Thomas. "In Praise of Patience". *Aeon*, 12 maio 2016. Disponível em: aeon.co/essays/how-patience-can-be-a-better-balm-for-trauma-than-resilience.
2. Ibid.

Capítulo 14: Montando sua rede de apoio: ajudando as pessoas a ajudar você

1. Parker Palmer. "The Gift of Presence, the Perils of Advice". *On Being*, 27 abr. 2016. Disponível em: onbeing.org/blog/the-gift-of--presence-the-perils-of-advice/.
2. Giles Fraser. "We Cannot Fix People's Grief, Only Sit with Them, in Their Darkness". *The Guardian*, 14 abr. 2016. Disponível em: theguardian.com/commentisfree/belief/2016/apr/14/we-cannot-fix--peoples-grief-only-sit-with-them-in-their-darkness.

Capítulo 15: A tribo do depois: companheirismo, esperança verdadeira e o caminho à frente

1. Pauline Boss. "The Myth of Closure". Entrevista com Krista Tippett. *On Being*, 23 jun. 2016. Disponível em: onbeing.org/programs/Pauline-boss-the-myth-of-closure/.

Capítulo 16: O amor é a única coisa que permanece

1. Naomi Shihab Nye. *Words Under the Words: Selected Poems.* Portland, OR: Eighth Mountain Press, 1994.
2. James Baldwin. *Going to Meet the Man: Stories*. Nova York: Vintage Books, 1995.

AGRADECIMENTOS

Eu sempre leio as dedicatórias e os agradecimentos nos livros. Gosto de ver as linhas de relacionamentos, os mentores e guias, a vida que cerca o livro e a pessoa que o escreveu. Um livro é um fragmento minúsculo de uma vida e um subproduto dela. Os dois se retroalimentam, o que é uma definição estranha da coisa. Este livro foi difícil para mim e foi lindo, de maneiras que nem sempre estão óbvias no texto, mas que foram percebidas com nitidez pelas pessoas na minha vida. A Samantha (que percebeu tudo), Cynthia, Rosie, TC, Steph, Michael, Sarah, Naga, Wit e mais um bando de gente que entrou e saiu deste tempo: obrigada por sua presença, por terem me ouvido e me guiado quando me perdi. Aos meus dois amores, que, durante a escrita deste livro, foram minha brincadeira, minha aventura, minha trégua e minha alegria: enquanto durar, e mais além, obrigada. Obrigada à minha comunidade do tango por sempre fornecer um lugar onde eu conseguia parar de escrever, mesmo dentro da cabeça. Meus alunos de escrita, por muitos motivos, formam as bases deste livro; seus e-mails e mensagens muitas vezes chegaram no momento exato para me lembrar de por que faço este trabalho. Obrigada, meus amores, por compartilhar comigo seus sentimentos e suas palavras. Aos amigos e aliados que faleceram nos anos desde a morte de Matt: ainda sinto vocês por perto. Naquela época, como agora, seu apoio significou tudo e mais um pouco para mim. Obrigada ao meu agente, David Fugate, que acreditou na mensagem de transformação cultural desde o primeiro momento em que conversamos sobre luto. E à minha equipe na Sounds True: como falei, me sinto amada e cuidada por vocês, e isso vale muito. Obrigada.

E, por mais estranho ou arrogante que pareça, devo um agradecimento interminável a mim mesma – à pessoa que eu era, à pessoa no rio naquele dia e nos anos posteriores, a que viveu quando não queria. Este livro é uma carta de amor para ela, uma viagem no tempo. Em muitos sentidos, através deste livro desejo fazer por mim mesma o que desejo a todos que o leiam: oferecer apoio com minhas palavras, um abraço, uma ajuda para sobreviver. Estou muito contente que ela tenha sobrevivido.